Michel Renouard



# LE POITOU-CHARENTES

Photographies : Michel Ogier

ÉDITIONS OUEST-FRANCE
13, rue du Breil, Rennes

# Le Poitou-Charentes

Saint-Martin-en-Ré.

**Du même auteur** (sélection)

Romans
**Lumière sur Kerlivit**, 1964, 2e éd. 1988.
**Le Requin de Runavel** (avec J.-F. Bazin), 1990.
**La Java des voyous** 1996.

Critique littéraire
**Robert Ruark (1915-1965), journaliste et romancier : l'échec d'une réussite**, thèse de doctorat d'État, 1986.

Revue scientifique (Ed.)
**Les Cahiers du Sahib**, depuis 1993.

Divers
**Aimer la Bretagne**, 1996.
**Châtellerault**, 1986.
**L'Inde**, 1994.
**Civilisation de la Bible**, 1995.

*Montmorillon : vieux pont sur la Gartempe.*

**Du même photographe**

**Rennes-reflets**, Éditions Occhio, 1985.
**Vannes,** Éditions Ouest-France, 1987.
**Rennes,** Éditions Ouest-France, 1992.
**La vallée des Rois,** Éditions Ouest-France, 1989.
**Le pays de Somme,** Éditions Ouest-France, 1990.
**Le Calvados,** Éditions Ouest-France, 1991.
**L'Oise,** Éditions Ouest-France, 1992.
**Vannes et le Golfe,** Éditions Ouest-France, 1986.
**Carnets de voyage : de Srinagar à Calcutta,** Éditions Callichrome, 1994.

*La Vienne à Bonnes.*

Version brochée :
*En première de couverture : Saint-Martin-en-Ré.*
*En quatrième de couverture : pont Henri-IV à Châtellerault.*

Version cartonnée :
*En première de couverture : château de La Roche-Courbon.*
*En quatrième de couverture : île d'Aix.*

# *Regards sur le Poitou-Charentes*

*Montmorillon : crypte romane de l'église Notre-Dame.*

**Pour Dominique Lapierre qui, en août 1958, fut un de mes premiers lecteurs.**
**Et en souvenir d'un jour de brouillard sur la route de Saint-Savin à Poitiers.**

**M.R.**

*Toute terre a besoin d'une âme, tout pays d'une identité. L'âme ne manque pas dans ce fascinant Poitou-Charentes où les sanctuaires romans sont si nombreux qu'aucun guide généraliste ne saurait les citer tous. Âme déchirée, au demeurant, puisque aucune autre région de France n'a été autant marquée par ces guerres de religion dont la folie nous paraîtrait d'un autre âge si elles ne se développaient aujourd'hui, avec un égal bonheur, près de nos frontières ou à l'autre bout du monde.*

*Mais l'identité du Poitou-Charentes paraît plus flottante, comme le serait un vêtement mal taillé. Le langage, d'ailleurs, ne s'y trompe pas puisqu'il est ici à court d'adjectif. En Normandie vit le Normand, en Bretagne le Breton, en Bourgogne le Bourguignon. En Poitou-Charentes vit... l'habitant du Poitou-Charentes, entité bicéphale artificiellement formée d'éléments poitevins et charentais. Un nom trop composé pour être convaincant, fruit sans doute de quelque mariage de raison conçu dans les salons d'un ministère.*

*Pays conservateur, la France aime, à intervalles réguliers, changer les noms, les appellations et les étiquettes. À peine nés d'autres, déjà, les remplacent. Il était donc dans la logique française de remplacer les anciennes provinces — clairement identifiables et patinées par le temps — par des départements taillés à la diable puis, un siècle et demi plus tard, d'en revenir, sous une autre forme, aux provinces rebaptisées Régions. Mais il s'agissait, cette fois, d'une réalité administrative et économique.*

*Dampierre-sur-Boutonne.*

*Ile de Ré.*

*Château de Touffou.*

# *Regards sur le Poitou-Charentes*

*La Rochelle.*

*Huîtres d'Oléron.*

*La Palmyre : zoo.*

*Faïence d'Angoulême.*

*Le terme Poitou-Charentes recouvre une partie de l'ancien Poitou. Une partie seulement puisque — singulier paradoxe — il exclut le Bas-Poitou, c'est-à-dire la Vendée : ce département trop rebelle a été rattaché aux Pays de Loire, région dont l'identité paraît également bien fragile. Le pays qui nous occupe comprend donc le Haut-Poitou (capitale Poitiers), le Loudunois (Loudun), l'Aunis (La Rochelle), la Saintonge (Saintes) et l'Angoumois (Angoulême). Sur ses marches, le Poitou-Charentes flirte avec la Touraine (Loudun), la Vendée (Mauléon), le Limousin (Confolens), le Périgord (Aubeterre) et, bien sûr, l'actuelle Aquitaine (Corniche de la Gironde). Mauléon, La Rochelle, Châtellerault, Aubeterre et Mirambeau, par exemple, n'ont donc en commun que leur appartenance, plus ou moins ténue, à une même région administrative.*

*Avec quelque 25 000 $km^2$, le Poitou-Charentes est d'une taille honorable, comparable à des pays qui ont pignon sur rue à l'ONU. Mais, avec seulement 1 600 000 habitants, cette terre est peu peuplée puisque la densité ne dépasse guère 60 habitants au kilomètre carré. Comme ce chiffre est une moyenne, nul besoin d'être grand clerc pour comprendre que la densité est insignifiante dans les zones les plus rurales. Même les « grandes » villes sont de taille moyenne : Poitiers (environ 80 000 habitants), La Rochelle (72 000), Niort (58 000) et Angoulême (43 000). L'attraction de Paris — désormais si proche par le T.G.V. — et de Bordeaux, la grande métropole, explique en partie que la présence humaine soit ici aussi discrète. Le Poitou-Charentes est par ailleurs une des régions de France à compter le moins d'étrangers.*

*Ces apparents handicaps constituent des atouts pour le tourisme. Puisqu'il n'y a pas d'unité, il y a — La Palice ne dirait pas autrement — une remarquable diversité. Rien de commun, par exemple, entre les rivages de l'Atlantique, la Gâtine des Deux-Sèvres, la vallée de la Gartempe, la forêt d'Horte, le Pays des gouffres ou les bords de la Dronne. Et les vacanciers en quête de solitude peuvent passer ici des semaines revigorantes, en pleine nature, dans des villages qui paraissent oubliés et presque coupés du monde. Même les « grandes » villes, nous l'avons dit, sont de taille humaine, et il est toujours facile de les visiter à pied. Certes, les restaurants* fast-food *à l'américaine sévissent ici comme ailleurs, mais ils n'empêchent pas le touriste de s'arrêter dans quelque auberge du coin pour y goûter l'excellente cuisine de la région — ou, pour mieux dire, les excellentes cuisines puisque chaque terroir a la sienne. Les amateurs d'huîtres et de moules sont ici comblés, comme le sont ceux qui apprécient les anguilles, les choux farcis, les escargots, le lapin au pineau ou le coq au vin. Les fromages y sont réputés — du chabichou à la jonchée —, et le vin, bien sûr, est au rendez-vous. Au cas où vous ne reprendriez*

# *Regards sur le Poitou-Charentes*

*pas la route — car la maréchaussée veille —, il ne vous sera pas interdit, bien au contraire, de goûter au cognac, au pineau des Charentes, au marigny-brizay ou à la sève d'angélique.*

*Le patrimoine artistique du Poitou-Charentes est exceptionnel par sa richesse et sa diversité. Le visiteur trouvera ici des souvenirs de l'ère préhistorique mais aussi quelques sites gallo-romains de grand intérêt (les Bouchauds, Saintes, Sanxay, Vieux-Poitiers). Ce terroir recèle aussi d'émouvants vestiges des débuts du christianisme en Gaule (Poitiers, Aubeterre). Il possède surtout une très riche collection d'églises des XI^e et XII^e siècles. L'art roman est si présent dans la région qu'on ne peut citer ici que les trois églises les plus connues : Notre-Dame-la-Grande de Poitiers, l'abbatiale de Saint-Savin, la cathédrale d'Angoulême. Même l'architecture civile de l'époque romane, si rare en France, a laissé en Poitou-Charentes de remarquables monuments (par exemple, le palais des ducs à Poitiers, le passage voûté de Pons, les donjons de Loudun, Niort et Pons). Pour l'amateur d'art roman, visiter le Poitou-Charentes est un plaisir permanent.*

*Le Vieux-Poitiers, près de Châtellerault.*

*Il ne faut pas oublier la façade atlantique, de plus en plus fréquentée, avec ses îles merveilleuses, ses forteresses campées sur le rivage, ses marais salants et, bien sûr, La Rochelle qui est un incomparable joyau. La mer est partout invitation au voyage et au rêve. Toute côte est, par nature, incitation à l'action et au dynamisme. Le Poitou-Charentes n'échappe pas à la règle. Il a donné naissance à des explorateurs comme Champlain et Caillié, à des militaires comme Denfert-Rochereau, à des savants comme Réaumur, à des hommes politiques comme François Mitterrand. Même ses écrivains du passé étaient aussi des hommes d'action. Renaudot est, certes, le premier journaliste français, mais il fut finalement moins journaliste que philanthrope... comme son confrère médecin Guillotin ! Fromentin voyagea longtemps en Afrique du Nord avant de s'intéresser à sa Saintonge natale. Et Loti fit le tour du monde avant de jeter l'ancre à Rochefort où il était né. Cette nécessaire part de rêve, sans laquelle tout destin serait bien terne, se retrouve dans des réalisations aussi différentes que le musée de la bande dessinée à Angoulême et le Futuroscope de la Vienne.*

*François Mitterrand.*

*Pierre Loti.*

*Pour le visiteur en quête de paysages, d'émotion et de beauté, il importe peu que le Poitou-Charentes ait ou n'ait pas une identité coulée dans du béton. Il lui suffit de savoir que cette terre est une des plus belles de France. Aimer le Poitou-Charentes est facile, puisqu'il fait bon y vivre. Si le mot bonheur a un sens, c'est ici qu'il convient de le chercher, à Barbezieux, par exemple, un matin limbé de brume, ou sous les tours de La Rochelle un jour d'orage, ou dans les ruelles d'Aubeterre sous la chaleur écrasante d'un après-midi d'été. Nous l'avons trouvé à Châtellerault, sur les bords de la Vienne, à l'ombre du pont Henri-IV, dans la tiédeur d'un soir d'automne.*

*Cognac de Jarnac.*

*Marais salants près d'Ars, île de Ré.*

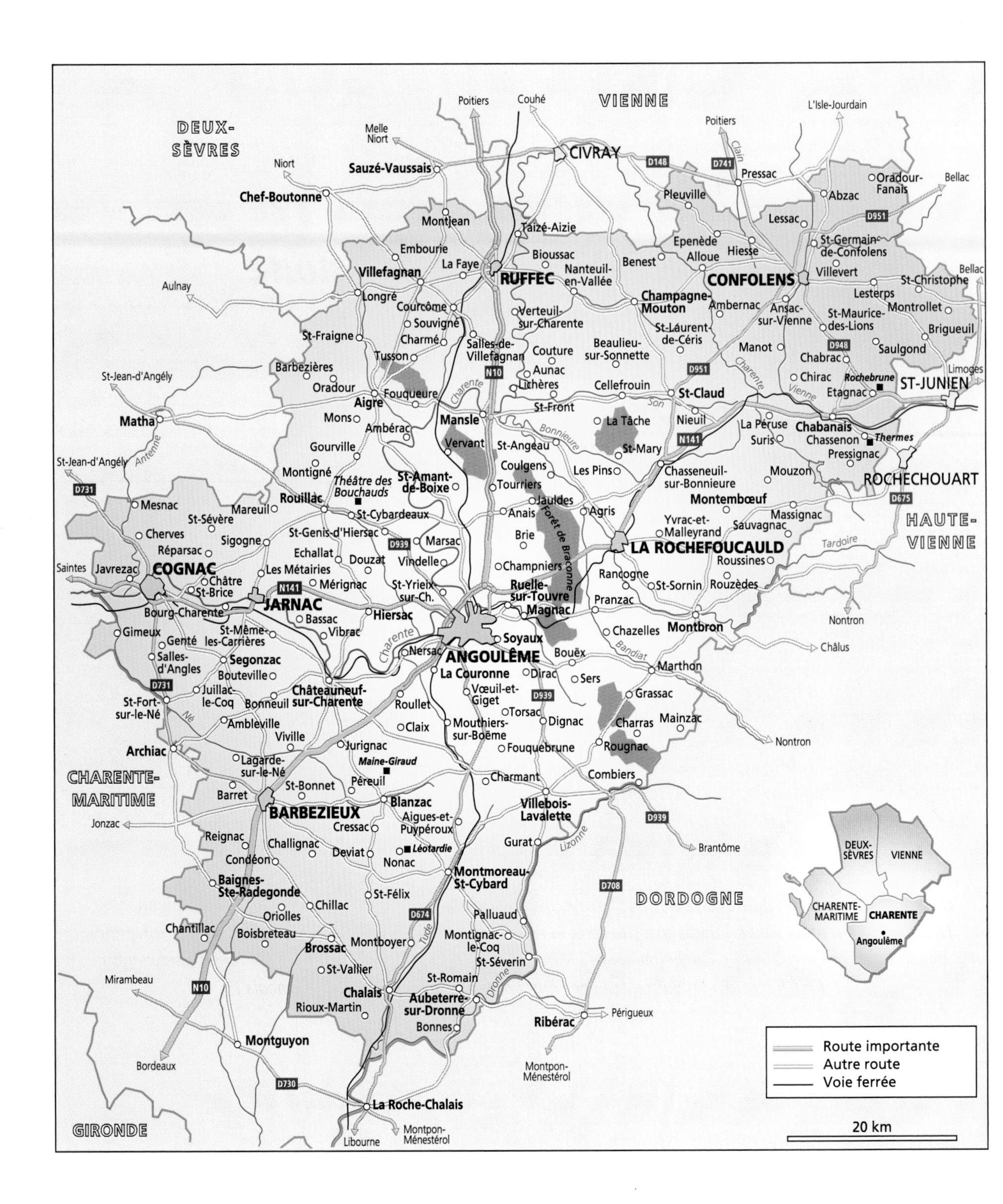

DEUX-SÈVRES
VIENNE
HAUTE-VIENNE
CHARENTE-MARITIME
DORDOGNE
GIRONDE
Poitiers
Couhé
Melle
Niort
Niort
L'Isle-Jourdain
Poitiers
Bellac
Bellac
Limoges
Aulnay
St-Jean-d'Angély
St-Jean-d'Angély
Saintes
Jonzac
Mirambeau
Bordeaux
Libourne
Montpon-Ménestérol
Montpon-Ménestérol
Périgueux
Brantôme
Nontron
Nontron
Châlus
CIVRAY
Sauzé-Vaussais
Chef-Boutonne
Montjean
Taizé-Aizie
Embourie
Bioussac
Villefagnan
La Faye
RUFFEC
Nanteuil-en-Vallée
Benest
Alloue
Epenède
Hiesse
Pleuville
Pressac
Abzac
Oradour-Fanais
Lessac
St-Germain-de-Confolens
Villevert
CONFOLENS
St-Christophe
Lesterps
Montrollet
St-Maurice-des-Lions
Brigueuil
Saulgond
Longré
Courcôme
Souvigné
Charmé
St-Fraigne
Tusson
Salles-de-Villefagnan
Verteuil-sur-Charente
Couture
Aunac
Lichères
Champagne-Mouton
Ambernac
Ansac-sur-Vienne
St-Laurent-de-Céris
Beaulieu-sur-Sonnette
Manot
Chabrac
Chirac
Rochebrune
Etagnac
ST-JUNIEN
Barbezières
Oradour
Fouqueure
Aigre
Mons
Ambérac
Matha
Gourville
Mansle
Vervant
St-Front
Cellefrouin
St-Claud
Nieuil
La Tâche
St-Mary
La Péruse
Suris
Chabanais
Chassenon
Thermes
Pressignac
Montigné
Théâtre des Bouchauds
St-Amant-de-Boixe
St-Angeau
Coulgens
Tourriers
Les Pins
Chasseneuil-sur-Bonnieure
Mouzon
ROCHECHOUART
Mesnac
Mareuil
Rouillac
St-Cybardeaux
Jauldes
Anais
Agris
Montembœuf
St-Sévère
Cherves
Sigogne
St-Genis-d'Hiersac
Marsac
Brie
Yvrac-et-Malleyrand
Massignac
Sauvagnac
Réparsac
Javrezac
COGNAC
Châtre
St-Brice
Les Métairies
Echallat
Douzat
Vindelle
Champniers
LA ROCHEFOUCAULD
Roussines
Mérignac
St-Yrieix-sur-Ch.
Ruelle-sur-Touvre
Rancogne
St-Sornin
Rouzèdes
Bourg-Charente
JARNAC
Hiersac
Magnac
Pranzac
Bassac
Vibrac
Soyaux
Chazelles
Montbron
Gimeux
Genté
St-Même-les-Carrières
Nersac
ANGOULÊME
Bouëx
Salles-d'Angles
Segonzac
La Couronne
Dirac
Sers
Marthon
Bouteville
Juillac-le-Coq
Châteauneuf-sur-Charente
Vœuil-et-Giget
Grassac
St-Fort-sur-le-Né
Bonneuil
Roullet
Torsac
Ambleville
Claix
Mouthiers-sur-Boëme
Dignac
Charras
Mainzac
Viville
Archiac
Jurignac
Fouquebrune
Rougnac
Lagarde-sur-le-Né
Maine-Giraud
Péreuil
Charmant
Combiers
St-Bonnet
Barret
BARBEZIEUX
Blanzac
Villebois-Lavalette
Aigues-et-Puypéroux
Cressac
Reignac
Challignac
Deviat
Léotardie
Nonac
Gurat
Condéon
Montmoreau-St-Cybard
Baignes-Ste-Radegonde
St-Félix
Chillac
Oriolles
Palluaud
Chantillac
Boisbreteau
Brossac
Montboyer
Montignac-le-Coq
St-Séverin
St-Vallier
St-Romain
Chalais
Aubeterre-sur-Dronne
Rioux-Martin
Bonnes
Ribérac
Montguyon
La Roche-Chalais
Forêt de Braconne
Charente
Son
Bonnieure
Vienne
Clain
Tardoire
Bandiat
Lizonne
Tude
Dronne
Né
Antenne
D148
D741
D951
D948
D675
N141
D731
D939
N10
D674
D708
D730
Route importante
Autre route
Voie ferrée
20 km
DEUX-SÈVRES
VIENNE
CHARENTE-MARITIME
CHARENTE
Angoulême

# *De la Péruze au Périgord Vert : la Charente, terre d'histoire*

*Vue générale d'Angoulême.*

*La **Charente**, c'est d'abord Angoulême,*
*sa prestigieuse capitale dont la cathédrale est un des plus beaux monuments de France.*
*C'est aussi cette prodigieuse terre de rencontre entre le Poitou et le Limousin, l'Aquitaine et le Périgord Vert.*
*Des noms charentais sont à jamais inscrits dans la mémoire collective des Français, de Barbezieux à Jarnac, en passant par Cognac et La Rochefoucauld. L'histoire ici est, d'une manière ou de l'autre, au rendez-vous.*
*La Charente a vu naître des gens aussi différents que Ravaillac, François Ier, Chardonne, Pierre Véry... ou François Mitterrand.*

## ANGOULÊME

*A l'est de Cognac*

À Angoulême — comme dans beaucoup d'autres villes —, c'est d'abord le site qui explique l'exceptionnel destin de la cité. Ce promontoire rocheux, qui surplombe la vallée de la Charente, ne pouvait que séduire nos ancêtres de la préhistoire. À l'époque romaine, Angoulême faisait partie de la province d'Aquitaine mais elle était trop éloignée des grandes voies romaines pour jouer un rôle important. C'est pourtant à cette période qu'apparurent les premières fortifications de pierre. Elles furent détruites et reconstruites au fil des siècles, avant d'être rasées à partir de 1738.

Le visiteur s'en consolera en suivant la **promenade** aménagée sur le tracé de l'enceinte urbaine, car elle réserve de jolis points de vue sur la ville basse, les jardins, la Charente et ses îles. Près de la tour Ladent (XVIIe), par exemple, on surplombe la grotte de l'ermite Cybard. Celui-ci, si l'on en croit la tradition, s'installa au pied de la colline au VIe siècle.

Le voyageur très pressé, qui n'aurait qu'une petite heure à consacrer à Angoulême, devra se rendre à la **cathédrale Saint-Pierre** qui est, de loin, le monument le plus intéressant de la cité. C'est un magnifique sanctuaire roman construit entre 1101 et 1130. Mais l'image que nous avons aujourd'hui de ce sanctuaire est bien différente de la construction initiale.

*Vestiges de fortifications.*

La cathédrale, en effet, a subi un remaniement majeur de 1853 à 1876. L'architecte Paul Abadie — qui restaura également Notre-Dame de Paris et éleva le Sacré-Cœur — a éliminé certains éléments de l'église romane, ajouté des clochetons et un fronton à la façade, ainsi que son dôme couvert d'écailles.

La **façade ouest**, réalisée de 1119 à 1125, est la partie la plus riche : elle accueille, sous ses diverses arcatures, quelque 70 personnages. On notera, au rez-de-chaussée à cinq arcs, la porte centrale à tympan et, à droite, la frise de Roland qui, semble-t-il, reprend certains éléments de la *Chanson de*

*Pages précédentes : Angoulême, vue générale. Au centre, cathédrale Saint-Pierre.*

*Page de droite : Angoulême, cathédrale Saint-Pierre (XIIe).*

*Angoulême, campée sur son promontoire.*

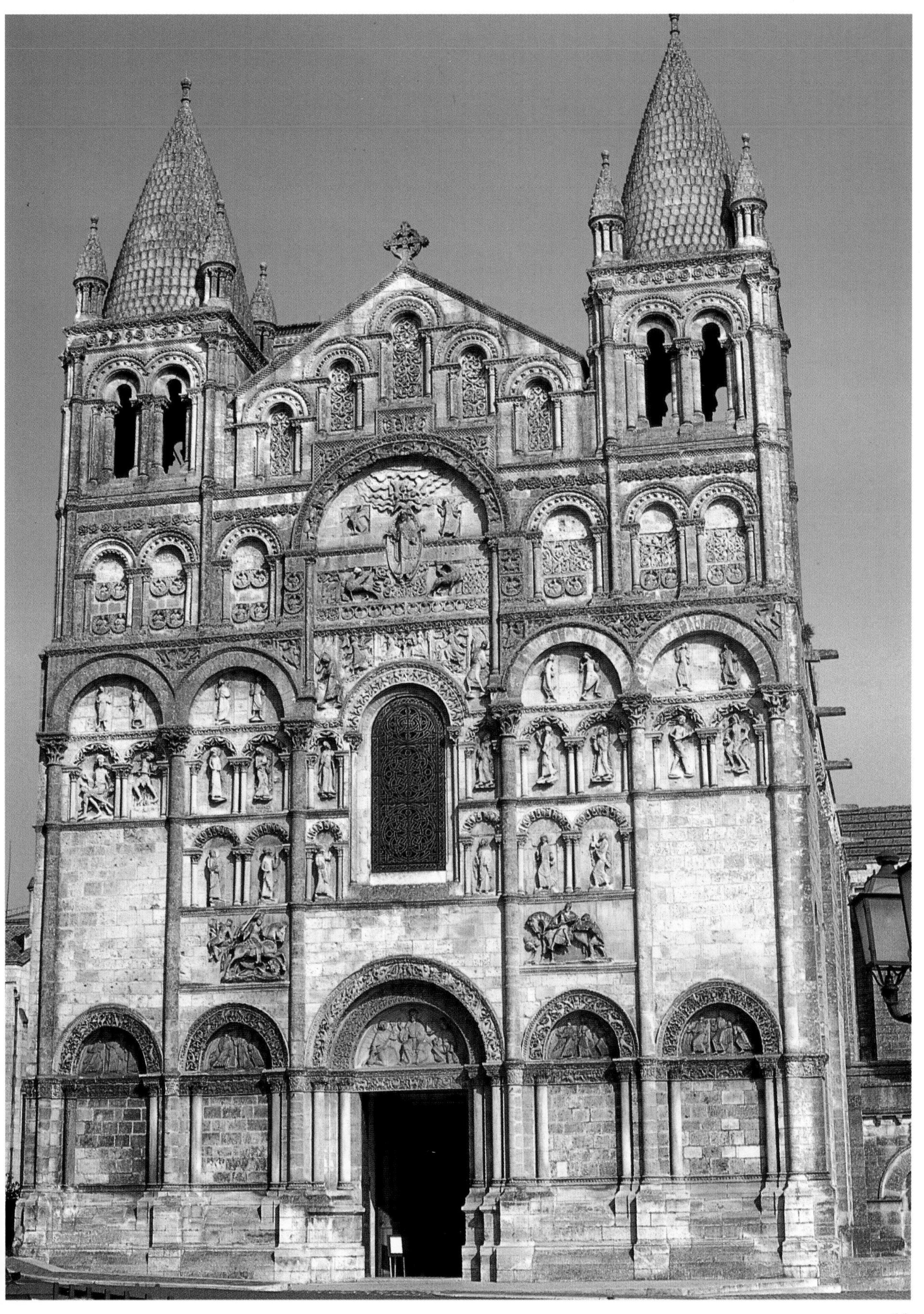

*Grand salon de l'hôtel de ville d'Angoulême.*

*Roland*, chef-d'œuvre de la littérature française en son printemps (fin du Xe siècle). À l'origine, les hautes arcades de cette façade devaient être nues, mais on y ajouta deux cavaliers (au XIIe siècle) puis diverses représentations du Nouveau Testament comme l'Ascension, les Apôtres et la Vierge, la Seconde Venue du Christ. L'Ascension du Christ occupe l'arc central de cette façade. Des modifications du plan initial amenèrent les artistes, au fil des décennies, à réaliser un grand nombre de sculptures qu'il est malheureusement impossible d'apprécier de près. Précisons que les clochetons et pignons sont du XIXe siècle. Contentons-nous donc de cette vue générale et méditons la remarque de

*Page de gauche : hôtel de ville d'Angoulême (XIXe). En médaillon, tour des Valois (XVe) et tour polygonale (XIIIe) incorporées à la nouvelle mairie.*

*Angoulême vue du haut de l'hôtel de ville, vers la place de New-York.*

*Ci-dessus : église Saint-André (clocher du XVIᵉ).*

*Ci-contre : hôtel Saint-Simon (XVIᵉ).*

Pierre Dubourg-Noves : « Rien de mieux conçu ni de plus fortement composé que ce vaste programme qui, sur le parvis, s'adresse à la foule pour promettre à tous les espérances de la résurrection et du salut. Malgré deux remaniements, l'unité de la pensée ne fait aucun doute et situe cette façade au niveau des plus belles pages sculptées de l'art roman européen. »

L'**abside** à quatre absidioles a perdu une de ses tours : il ne reste plus que la tour des cloches, qui fut d'ailleurs démontée puis remontée pierre par pierre lors du grand remaniement du XIXᵉ siècle. Elle s'élève sur cinq étages d'arcatures ajourées. La coupole centrale est une construction néo-romane de 1875. À l'intérieur de la cathédrale, on appréciera la **nef** qui possède trois coupoles sur pendentifs. Dans le trésor, sarcophage du VIᵉ siècle.

Le centre de la ville se développe à proximité de l'**hôtel de ville** (1858-1868), imposant immeuble élevé dans le style Renaissance par Paul Abadie à l'endroit où se dressait un château dont subsistent la tour polygone, dite de Lusignan (fin

*Ci-dessus : Centre national de la bande dessinée.*

*Ci-contre : Angoulême, statue de Sadi Carnot par Raoul Verlet (1897).*

XIII^e^, du sommet panorama sur la ville) et la tour de Valois (fin XV^e^). Tout près, 15, rue de la Cloche-Verte, bel **hôtel Saint-Simon** (façade du XVI^e^).

Un peu plus au nord, près de l'église Saint-André (clocher carré du XVI^e^, façade refaite par Abadie au XIX^e^, vestiges romans), les rues du Soleil et de Beaulieu conservent divers bâtiments anciens, dont la **chapelle de l'hôtel-Dieu**, où repose l'écrivain d'Angoulême Jean-Louis Guez de Balzac (vers 1595-1654). Ses relations avec le sulfureux Théophile de Viau avaient indigné le Tout-Paris, mais le bon cardinal de Richelieu, qui en avait vu d'autres, n'en fit pas moins du Balzac d'Angoulême, en 1634, un des premiers académiciens !

Le **musée** principal, rue de Friedland, est situé derrière la cathédrale, dans l'ancien évêché. On y trouvera divers objets liés à l'histoire de l'Angoumois, mais aussi des collections, plus inattendues ici, d'ethnologie africaine et océanique. Un autre musée, celui de la **Société archéologique de la Charente**, est situé rue de Montmoreau, dans la partie est de la ville.

Le nom d'Angoulême — déjà célèbre par les images sculptées de sa cathédrale — est aujourd'hui associé à la bande dessinée, en raison d'un festival créé en 1974. La ville possède même un **Centre national de la bande dessinée et de l'image**, que l'architecte Roland Castro a incorporé dans les bâtiments des brasseries Champagneulles sur le site historique de l'ancienne abbaye de Saint-Cybard.

Le grand public — plus porté sur la B.D. que sur la grande littérature — confond souvent Guez de Balzac et Honoré de Balzac. Or, par une curieuse coïncidence, le Balzac du XIXe siècle s'est aussi intéressé à Angoulême, patrie de Lucien de Rubempré, comme en atteste *Illusions perdues* (v. aussi Verteuil).

François Ravaillac (1578-1610), l'assassin d'Henri IV, était né à Angoulême. François Mitterrand, élève au collège Saint-Paul, y vécut plusieurs années. Autres personnalités nées à Angoulême : l'universitaire et écrivain Maurice Duverger (1917), le journaliste Pierre Desgraupes (1918-1993) et le romancier Pierre-Jean Rémy (1937).

Au sud d'Angoulême, **La Couronne** recèle les ruines de l'**abbaye Notre-Dame** (1170-1194) qui fut très importante au Moyen Âge. L'église paroissiale est, en partie, du XIIe siècle.

Autres excursions possibles aux environs : à l'ouest, par exemple, **Saint-Michel-d'Entraigues** possède une église octogonale (XIIe, restaurée), dont le tympan du portail est célèbre (saint Michel terrassant le dragon). On fabrique du papier comme au XVIIIe siècle au **moulin de Fleurac**. Au sud, à **Mouthiers-sur-Boëme**, le château de **La Rochechandry** est impressionnant ; à proximité, abri préhistorique dit « La Chaire à Calvin ».

*Musée d'Angoulême : faïence.*

*Page de droite en haut : Angoulême, de l'île Marquet.*
*Page de droite en bas : Angoulême by night.*

*Faïence Roux à Angoulême.*

*Les halles.*

LAN
LAOS - RESTAURANT - LAOS
LAOS

*Église monolithe Saint-Jean (préromane).*

## AUBETERRE-SUR-DRONNE

*Au sud d'Angoulême*

Aubeterre signifie « terre blanche ». Et, de fait, la ville est campée en amphithéâtre sur une falaise de craie qui surplombe la Dronne. Le site enchanteur fait de cette petite cité sans prétention une de nos escales préférées. Le visiteur devra se perdre dans les ruelles d'Aubeterre pour trouver, au hasard des rues, de merveilleux points de vue sur la ville aux toits de tuile et ses environs.

La commune recèle une curiosité : l'**église monolithe Saint-Jean**, taillée dans le calcaire, qui remonte à l'époque romane (XIe ?). Elle aurait pris la place d'une ancienne chapelle taillée par saint Maur ou ses disciples, aux environs du VIe siècle.

L'**église Saint-Jacques**, plus haut située dans la ville, comporte une façade romane (portail polylobé). À proximité, la **tour des Apôtres** est un ancien châtelet du XVIe. Le **château**, qui surplombe toute la ville, était connu dès le XIe siècle, mais les bâtiments actuels ont été construits, pour l'essentiel, entre le XIVe (tour-porte) et le XVIIe.

Aubeterre a beaucoup souffert des guerres de Religion. C'est aujourd'hui, dans la sérénité retrouvée, un havre reposant sur les marches du Périgord Vert.

On profitera de ce calme pour relire les romans de Pierre Véry (1900-1960), né à Bellon, tout près d'ici. *L'Assassinat du Père Noël* et *Les Disparus de Saint-Agil* sont devenus des classiques.

**Bonnes**, un peu plus au sud, est un charmant village des bords de la Dronne (église et château du XVIe, vieux moulin).

*Page de droite : Aubeterre-sur-Dronne, vue générale.*

*Façade romane de l'église Saint-Jacques.*

*Tour des Apôtres (XVIe).*

*Tours de Barbezieux.*

## BARBEZIEUX

*Au sud-ouest d'Angoulême*

Il fut un temps lointain où la colline de Barbezieux permettait de contrôler cette région stratégique située entre l'Aquitaine et le Poitou. C'est aujourd'hui une ville tranquille — mais non sans agrément avec ses petites rues et places —, connue pour ses marrons glacés et ses eaux-de-vie.

Du château médiéval, reconstruit au XVe siècle, il reste deux belles **tours**. On pourra voir par ailleurs, au hasard d'une promenade à pas lents, des maisons du XVIIIe (comme l'actuel hôtel de ville), le Minage (XVIe, construction à arcades), le petit musée (situé dans les anciennes écuries) et l'église Saint-Mathias (XIIIe, remaniée au XVIIe).

Tous ceux qui aiment la vraie littérature savent que Barbezieux est la ville natale de l'écrivain Jacques Chardonne (1884-1968), de son vrai nom Boutelleau (Chardonne étant le nom d'un village suisse). On lui doit plusieurs romans et essais dont, bien sûr, *Le Bonheur de Barbezieux* (1938) en qui le critique Pierre de Boisdeffre voyait « un des livres les plus profonds et les plus vrais qu'on ait consacrés à la province française ». Mais Chardonne appartient à un autre temps : il s'est d'ailleurs éteint en mai 1968.

Au sud-ouest, à **Baignes-Sainte-Radegonde**, l'église Saint-Étienne est le vestige d'une abbaye du XIe siècle. La tour de Montausier est du XVe. Le château baroque a été construit au XIXe.

*Maison natale de Jacques Chardonne.*

*Centre-ville de Barbezieux, rue Saint-Mathias.*

Barbezieux : église Saint-Mathias.

## BLANZAC

*Au sud d'Angoulême*

Cette petite commune possède les ruines d'un donjon du XII^e^. Son **église Saint-Arthémy** se signale par un portail intéressant (arc polylobé) et ses éléments romans (chœur, croisillons) ou gothiques du XIII^e^ (nef).

Au nord-ouest, par la D 7, on atteint le **manoir de Maine-Giraud** (1494). Ce beau logis rural est moins connu par son architecture que par le nom d'un de ses habitants, Alfred de Vigny (la demeure avait été achetée au XVIII^e^ par un de ses grands-pères). Plusieurs de ses écrits (dont *La Mort du loup*) sont nés ici, en haut de la tour où l'écrivain avait un cabinet de travail. Divers souvenirs ont été regroupés dans le manoir par l'Association des Amis d'Alfred de Vigny. Il n'est pas interdit de déguster un pineau pour tenter d'oublier le pessimisme du poète.

Au sud-ouest de Blanzac, la **chapelle des templiers de Cressac** (XII^e^) possède des fresques de la même époque consacrées aux croisades. De la chapelle, le point de vue sur les environs est enchanteur.

## LES BOUCHAUDS

*Au nord-ouest d'Angoulême*

Le **théâtre gallo-romain** des Bouchauds, près de Saint-Cybardeaux, fut un des plus grands de toute la Gaule romaine (105 m de diamètre). Il pouvait accueillir quelque 6 000 specta-

*Chapelle des templiers de Cressac (XII^e^).*

*Fresque de Cressac : les croisades (XII^e^).*

*Théâtre gallo-romain des Bouchauds (I^er^ siècle).*

teurs. Élevé au Ier siècle de notre ère, il aurait été détruit en 275. Le site a surtout été fouillé à la fin du XIXe et au début du XXe.

Du haut du théâtre, on pourra apprécier un très beau paysage. **Saint-Cybardeaux** possède une petite église romane.

## CHALAIS

*Au sud d'Angoulême*

Le visiteur aperçoit d'abord la puissante silhouette du **château** construit — ou remanié — du XIVe au XVIIIe. Il possède encore son pont-levis et son châtelet. À l'intérieur, escalier de pierre et plafond peint du XVIIIe. On y a évidemment un très beau point de vue sur Chalais et les environs. Ce château fut, pendant plusieurs siècles, la propriété de la famille Talleyrand. Le célèbre homme politique Charles Maurice de Talleyrand-Périgord (1754-1838) vécut d'ailleurs quelques années à Chalais, chez sa grand-mère. Il traversa sans dommage tous les régimes grâce à son intelligence supérieure et ses dons de caméléon.

L'**église Saint-Martial** est en partie romane. La façade (XIIe) comporte notamment deux séries de sculptures : à gauche, le Christ en majesté, à droite les Saintes Femmes au tombeau. L'intérieur a été reconstruit au XVIIe. À proximité, **cloître** du XVIIe.

*Cognac Otard.*

## CHASSENON

*Au sud-est de Confolens*

Chassenon était, à l'évidence, une étape essentielle sur la voie romaine qui reliait Lyon à Saintes. Les vestiges de cette **cité gallo-romaine** comprennent, notamment, des salles souterraines (caves de Longeas) et les ruines d'un temple (*cella* octogonale).

Au nord-ouest, **Chabanais**, qui a été incendié en 1944, conserve cependant un pont du XVIe sur la Vienne et d'anciennes demeures. L'écrivain Jean Duché est né à Chabanais en 1915. On lui doit divers romans dont *Trois sans toit* (1952), des chroniques comme *On s'aimera toute la vie* (1956), des livres pour les enfants et divers essais. Il vit aujourd'hui à Cognac.

Au nord-est de Chabanais, à Étagnac, **Rochebrune** est un sévère château à quatre tours entourées de douves. L'ensemble est, pour l'essentiel, du XVIe.

De Rochebrune, on peut gagner, par la D 193 et la D 165, la petite commune de **Brigueil**. Celle-ci n'est pas sans atouts : vestiges d'un château (XVIIe) et d'une enceinte fortifiée, beau portail gothique (XIIIe) de l'église, maisons à tourelles, fontaine en pyramide (1820).

*Chassenon : four.*

*Château de la famille Talleyrand à Chalais.*

Fontaine François-I^er (XIX^e).

## COGNAC

*À l'ouest d'Angoulême*

Un nom prestigieux, presque aussi connu à travers le monde que Paris… mais c'est le cognac plus que Cognac qui est célèbre. Or, la ville elle-même mérite qu'on s'y attarde, non seulement pour visiter ses chais mais aussi pour flâner dans ses vieilles rues, dans ses jardins ou sur les bords de la Charente. C'est d'ailleurs ici que naquit, en 1494, celui qui allait devenir un des plus grands rois de l'histoire, François I^er.

Sur les bords de la rivière, justement, la vieille ville recèle un vestige des anciennes fortifications, la **porte Saint-Jacques** (début XVI^e) qui, jadis, faisait face à un pont. C'est par ici qu'arrivaient les pèlerins de Compostelle avant de monter vers l'église Saint-Léger.

À proximité immédiate de la porte Saint-Jacques, le **château des Valois** a beaucoup changé de destination depuis sa construction puisqu'il est maintenant le siège du cognac Otard ! Il conserve cependant des vestiges des XII^e et XIII^e dans la salle du Casque (cheminée armoriée du XV^e) et de la Renaissance : la grande salle des Gardes est très réussie.

La vieille ville comprise entre le château et l'église Saint-Léger recèle d'intéressantes **demeures anciennes**, notamment

*Cognac : porte Saint-Jacques (XVI^e), sur les bords de la Charente.*

·*Maison de la Lieutenance.*

*Pressoir au musée de Cognac.*

rue Grande (Maison de la Lieutenance), rue du Plessis, rue Magdeleine, rue des Cordeliers (vestiges d'un couvent), rue Saulnier, rue de l'Isle-d'Or, rue de Lusignan…

L'**église Saint-Léger** est un sanctuaire de style composite. Sa façade romane (portail avec les signes du zodiaque) comporte une rosace flamboyante du XVe. À l'intérieur, peinture de l'Assomption (1629). À proximité, rue d'Angoulême, ancien **couvent des Récollets** (surtout XVIIe).

Le **musée du Cognac** est situé au sud du jardin de l'hôtel de ville, dans l'hôtel Dupuy-d'Angeac (début XIXe). Il comporte, sur trois étages, de très riches collections (art au premier étage, archéologie au rez-de-chaussée et, bien sûr, tout ce qui est lié au cognac en sous-sol).

Plus au sud, la place François-Ier possède une **statue** équestre du roi, par Antoine Etex (XIXe), commémorant sa célèbre victoire de Marignan (1515, comme chacun sait).

Le poète François Porché (1877-1944) était né à Cognac. Il a d'ailleurs publié des *Poésies charentaises* en 1930.

Fils d'un négociant de la ville, l'économiste politique Jean Monnet (1888-1979) était né à Cognac et avait fait ses études dans le collège de la ville. Après avoir été représentant de la firme familiale (son père était propriétaire de cognac), il joua un rôle politique important, dès la fin de la Première Guerre mondiale, et devint un des « pères fondateurs » de l'Europe.

## CONFOLENS

*Au nord-est du département*

Confolens signifie confluent, en l'occurrence celui de la Vienne et de la Goire. L'endroit se situe à la frontière du Haut-Poitou, dont il fit jadis partie, et du Limousin, mais aussi des langues d'oc et d'oïl. Il continue d'attirer pour les mêmes raisons, sans doute, qui poussèrent nos ancêtres à s'y installer : le site y est séduisant.

Il ne reste plus grand-chose des fortifications qui protégeaient la ville. Tout juste un **donjon** carré (XIIe ?), bien campé sur la colline, et une **porte**. Mais la cité a encore beaucoup d'agrément avec ses ruelles en pente, ses anciennes demeures (souvent à pans de bois) et, bien sûr, ses points de vue sur la Vienne, en particulier du **Pont-Vieux** à neuf arches, plusieurs fois restauré et remanié au fil des siècles.

L'**église Saint-Barthélemy** (fin XVe) est une église romane sans prétention. L'**église Saint-Maxime**, très restaurée au XIXe, garde un portail gothique du XIIIe. L'hôtel de ville est du XVIIe.

Chaque année, en août, se déroule ici un festival international de folklore, qui attire un grand nombre de visiteurs du monde entier. Ils en profitent peut-être pour saluer la mémoire d'un grand bactériologiste, Émile Roux (1853-1933), né à Confolens. Ce brillant collaborateur de Louis Pasteur mit au point, en 1894, le premier sérum contre la diphtérie, avant de

*Église Saint-Léger de Cognac : peinture de l'Assomption (XVIIe).*

*Église Saint-Léger : voussure du zodiaque.*

*Halles de Cognac.*

*Maison à pans de bois, 12, rue du Soleil à Confolens.*

Donjon carré de Confolens.

devenir directeur de l'Institut Pasteur. L'écrivain Maurice Toesca est également né à Confolens, en 1904.

À l'est de Confolens, par la D 80, on atteint très vite le **château de Villevert** (XVI$^{e}$-XVII$^{e}$), situé dans un parc paysager à l'anglaise ; la chapelle est néo-byzantine (1883).

**Saint-Germain-de-Confolens**, au nord, au confluent de l'Issoire et de la Vienne, possède les ruines de trois grosses tours (XV$^{e}$) et une église romane avec crypte. Le site est enchanteur.

Toute la région de Confolens est belle et verdoyante. Elle mérite d'être dégustée à pas lents.

## LE PAYS DES GOUFFRES

*À l'est d'Angoulême*

Cette région est une terre calcaire, sauvage et âpre, largement recouverte de bois et de forêts — dont la plus vaste, la **forêt de la Braconne** —, mais aussi percée de grottes, gouffres et cavernes (habitées à l'ère préhistorique, comme en attestent objets et dessins). Certains ouvrages de référence (comme le *Guide Bleu*) évoquent à bon droit la région du Karst, située sur les marches de l'Italie et de la Yougoslavie, qui lui est comparable sur le plan géologique.

Toute cette région, en tout cas, mérite d'être découverte lentement, en se laissant guider par la chance et le hasard. Parmi les points d'intérêt exceptionnel, signalons les **sources de la Touvre** et les **grottes du Quéroy** (Chazelles), à l'est d'Angoulême, la **Grande Fosse** et la **Fosse Mobile** (clôturée) près de Mansle, au nord.

Les localités sont petites, souvent sans prétention, mais dignes d'intérêt pour des raisons différentes. **Ruelle**, par exemple, dans la banlieue est d'Angoulême, fut jadis célèbre pour sa Fonderie nationale de canons de la Marine (musée), sur les bords

*Ci-dessous : Confolens, pont sur la Vienne.*

*Forêt de la Braconne.*

de la Touvre. **Magnac-sur-Touvre** possède une belle église romane, les vestiges d'un château (XV^e-XVI^e) et une rarissime lanterne des morts (XII^e ?). On trouvera une autre église romane, ainsi que les vestiges d'un donjon (XII^e) à **Montbron**, à l'est.

Au nord-est de Pranzac, **Rancogne**, sur les bords de la Tardoire, n'est pas de reste avec son église romane (XI^e) et, surtout, un très beau site, aux confins du Périgord Vert.

*Ci-contre : grottes du Quéroy.*

*La Grande Fosse.*

## JARNAC

*À l'est de Cognac*

Cette petite ville des bords de Charente — que peu de Français sauraient situer sur une carte — est pourtant célèbre à deux titres. Lors d'un combat, en 1547, un seigneur charentais — qui deviendrait plus tard baron de Jarnac — fit preuve, à Saint-Germain-en-Laye, d'une maestria peu commune et blessa mortellement son adversaire, d'un coup imparable et imprévisible... d'où notre « coup de Jarnac », expression d'ailleurs péjorative aujourd'hui. Jarnac est la ville natale de François Mitterrand, président de la République française de 1981 à 1995, fils d'un agent de la Compagnie des chemins de fer puis vinaigrier. Né en 1916, il y fut inhumé en 1996.

Pour se remettre des coups de Jarnac de la vie, rien ne vaut une bonne eau-de-vie, spécialité de la région. On pourra même visiter les **chais** de la maison Hine ou la **Maison Courvoisier**, musée très napoléonien du fameux cognac du même nom. L'église Saint-Pierre possède une crypte du XIIIe.

La discrète **abbaye de Bassac**, à l'est de Jarnac, créée au tout début du XIe siècle, est aujourd'hui occupée par des missionnaires de Sainte-Thérèse. On peut y voir une galerie aux belles ogives du XVIIe, quelques arcades d'un cloître et divers bâtiments abbatiaux. L'église Saint-Étienne, malgré son clocher du XIIe, est plutôt du siècle suivant avec, à l'intérieur, des éléments nettement plus tardifs.

*Façade de la maison natale de François Mitterrand.*
*(Photo Isabelle Simon - Sipa Press).*

Au sud-est, l'église Saint-Pierre de **Châteauneuf-sur-Charente** est une belle église romane (milieu XIIe) avec sa façade et ses chapiteaux.

La région ouest de Jarnac possède deux autres sanctuaires romans de grand intérêt : l'église Saint-Jean (XIIe) de **Bourg-Charente**, commune située dans un paysage enchanteur, et l'église Notre-Dame de l'Assomption de **Châtre**. Celle-ci, qui remonte aux XIe et XIIe siècles, se signale par sa remarquable façade saintongeaise.

*Église Saint-Pierre : crypte (XIIIe).*

*Paysage vallonné, à Montmoreau-Saint-Cybard.*

*Château de la Léotardie.*

## MONTMOREAU-SAINT-CYBARD

*Au sud d'Angoulême*

La ville est riante et fleurie, avec ses toits de tuiles et son séduisant **château** du XVIe, qui commandait la vallée de la Turde. La chapelle castrale (en ruines) conserve quelques chapiteaux romans pittoresques. L'**église Saint-Denys**, également romane (fin XIIe), a été très restaurée au XIXe. On notera le portail de la façade et les chapiteaux sculptés.

Montmoreau est situé au cœur d'un paysage vallonné, verdoyant et boisé. Toute cette région de collines est charmante (une commune, au nord-est, s'appelle d'ailleurs… **Charmant** et possède une belle église romane).

Au nord, l'**abbaye de Puypéroux**, qui remonte au XIe (restauration au XIXe), est campée sur une colline. À l'intérieur, voir les chapiteaux et noter la disposition du chœur.

À l'ouest de Montmoreau, près de Nonac, le **château de la Léotardie** se laisse apprécier de loin. Il fut construit et remanié de la fin du XIIIe au XVIe.

Pour la région, v. aussi Blanzac.

*Le château de La Rochefoucauld est un des chefs-d'œuvre de la région. Il fut construit sur plusieurs siècles, mais l'essentiel date du XVIe.*

*Page de droite, en haut : aile Renaissance du château de La Rochefoucauld.*

*En bas : cloître du couvent des Carmes (XVe).*

## LA ROCHEFOUCAULD

*Au nord-est d'Angoulême*

Cette petite ville née sur les bords de la Tardoire, à la frontière du pays d'oc et du pays d'oïl, est sans aucun doute d'occupation ancienne, mais elle ne s'est développée qu'à l'époque romane quand elle prit le nom de son seigneur, La Rochefoucauld, un des patronymes les plus connus de l'histoire de France. Le plus illustre membre de la famille est, bien sûr, l'écrivain du XVIIe siècle François de La Rochefoucauld, dont la vision du monde a le mérite de ne pas être d'un optimisme excessif. La fréquentation des grands de ce monde le priva peu à peu de toutes ses illusions sur la nature humaine. Ses fameuses *Maximes* n'ont rien perdu de leur actualité.

La cité possède un magnifique château, quelques monuments intéressants et diverses maisons anciennes, parfois à colombages (rue Liancourt).

Son imposant **château** — un des chefs-d'œuvre de toute la région — est un ensemble élevé sur plusieurs siècles, restauré au début du XXe. Un spectacle « Son et Lumière » permet, en saison, de l'apprécier sous un éclairage féerique. Le château comprend les vestiges d'un donjon roman et deux tours de la fin du XIIIe, mais l'essentiel est Renaissance (début XVIe). Les ailes est et sud, d'influence italienne, datent des environs de 1530. Leurs façades intérieures sont tout particulièrement dignes d'intérêt, avec leurs **galeries** à pilastres ioniques, sur trois étages. L'aile sud comporte aussi un magnifique **escalier** de 108 marches.

Église de La Rochefoucauld (XIIIe-XIVe).

Pont sur la Tardoire (XVIIe).

Au pied du château, construit sur un sol fragile, le pont sur la Tardoire est du XVIIe.

La ville comporte également le beau **cloître** à arcatures trilobées (XVe), très bien restauré, de l'ancien couvent des carmes, dont les bâtiments abritent aujourd'hui une structure de recherche en paléontologie. En face, au 40, rue des Halles, une maison du XVIe fut la propriété de Jean Hérault (1625-1703), devenu seigneur de Gourville. Né à La Rochefoucauld, cet ancien valet de chambre eut une vie agitée dans toute l'Europe comme agent politique, ambassadeur, financier et écrivain.

L'**église** collégiale et paroissiale a une double identité : Notre-Dame de l'Assomption (patronne de l'église) et Saint-Cybard (patron de la paroisse). Ce sanctuaire (fin XIIIe-XIVe) est une des rares églises gothiques de Charente.

Sur la place du Champ-de-Foire, l'hôpital (XVIIe) recèle une **apothicairerie** (collections de pots de pharmacie, faïences, objets divers).

Au nord, près de Saint-Claud, l'église de **Cellefrouin**, à la remarquable façade, remonte à 1060, ce qui fait d'elle une des plus anciennes de la région. Le sanctuaire est, en fait, une ancienne abbatiale d'augustins. Le cimetière de la même commune possède une rarissime **lanterne des morts** (12 m) d'origine romane (XIIe) dont le socle a été remanié au XIXe.

L'église de **Saint-Claud** possède un chœur très élevé et une crypte du XVe. Le **château de Nieuil**, à proximité, est néo-Renaissance.

## RUFFEC

*Au nord du département*

L'**église Saint-André** (XIIe) appartenait à la proche abbaye de Nanteuil-en-Vallée (v. Verteuil). Sa très belle façade comporte, sur une des arcades aveugles, une curieuse sculpture en

*Ruffec : église Saint-André (XIIe).*

haut relief (homme allongé, femme tirant un rideau) puis, sur l'étage supérieur, douze arcades avec les Apôtres (statues mutilées). Le Christ en majesté apparaît sur le pignon. La triple nef est gothique.

Le **château** (début XVIe) — qui est une propriété privée — recèle une chapelle des Hospitaliers (XIIe).

Ruffec est aujourd'hui connu pour sa fabrique de meubles, mais aussi pour sa gastronomie (foie gras, pâté de perdreau truffé, tarte au fromage).

Au sud-ouest, l'église Notre-Dame de **Courcôme** est, pour l'essentiel, un sanctuaire du XIIe (quelques vestiges du XIe). On notera la façade (portail, modillons sculptés), la très belle abside et le clocher trapu aux baies cintrées. À l'intérieur, le visiteur est frappé par la profondeur et l'élégance de la nef (chapiteaux). La statue de Notre-Dame de Courcôme (XIIIe ?), restaurée après la Révolution, est l'objet d'un pèlerinage en octobre.

## SAINT-AMANT-DE-BOIXE

*Au nord d'Angoulême*

Saint-Amant, au nord d'Angoulême, possède une des églises les plus impressionnantes de la Charente. Cette **abba-**

*Notre-Dame-de-Courcôme (XIIe).*

*Saint-Amant-de-Boixe : vestiges du cloître.*

*Chapiteau sculpté.*

*Peinture murale (XVe).*

**tiale** romane fut achevée vers 1170, mais elle eut à subir bien des avanies au fil des siècles.

La façade ouest, à deux étages, est impressionnante par sa sobriété et son ampleur. À l'intérieur, une fois descendu un escalier de treize marches, on entre dans la très belle nef de couleur blonde. Noter les chapiteaux sculptés, le chœur du XVe, les peintures murales du XIVe (qui se trouvaient jadis dans la crypte). À proximité de l'église, vestiges du cloître et ancien logis abbatial (avec cellier).

## VERTEUIL-SUR-CHARENTE

*Au sud-est de Ruffec*

De son promontoire, le **château** des La Rochefoucauld surveillait jadis un passage à gué sur la Charente. De la construction primitive, il reste un donjon (XIe) et une chapelle de la même époque. L'actuel château est du XVe. C'est ici que l'écrivain La Rochefoucauld conçut une partie de son œuvre.

L'église Saint-Médard (néo-romane) recèle une exceptionnelle **Mise au tombeau** (XVIe) à personnages, en terre cuite polychrome, attribuée à Germain Pilon. Du chevet du sanctuaire, très beau point de vue.

La ville est pleine de charme, mais les érudits rappellent que Balzac (v. Angoulême) y a fait naître Eugène de Rastignac, un des plus célèbres personnages de *La Comédie humaine*.

À l'est de Verteuil, l'abbaye de **Nanteuil-en-Vallée** aurait, selon la tradition, été fondée par Charlemagne. Le « Trésor » (salle des chartes ?) est un bâtiment carré décoré d'arcatures.

Nettement plus au sud, on pourra voir l'imposant **château de Bayers** (XVe, quelques éléments plus anciens) près d'Aunac. Non loin, l'église Saint-Denis de **Lichères** est un des

*Église Saint-Médard de Verteuil : Mise au tombeau (XVI^e^).*

*Verteuil-sur-Charente.*

très beaux sanctuaires romans de la région. Noter en particulier la façade (tympan sculpté) et l'abside.

## VILLEBOIS-LAVALETTE

*Au sud-est d'Angoulême*

Nous sommes au cœur d'une région sauvage, peu connue, parfois appelée pays d'Horte en raison de la **forêt** qui porte ce nom. Ceux qui s'intéressent avant tout aux paysages, à la nature et aux « vacances vertes » trouveront ici de quoi les satisfaire. En prime, ils découvriront, au hasard des routes, des sites préhistoriques, des églises et des châteaux.

Villebois-Lavalette comprend, justement, une église romane, un château reconstruit au XVII^e^ et des halles de la même époque.

Au nord-est, près de Dignac, **gisement de la Quina** (site paléolithique). À l'est, au sud de Charras, **arboretum Jean-Aubouin**, géré par l'Office national des forêts.

Plus au nord, le **gisement du Roc de Sers** est constitué de grottes préhistoriques (les originaux des sculptures sont au musée de Saint-Germain-en-Laye).

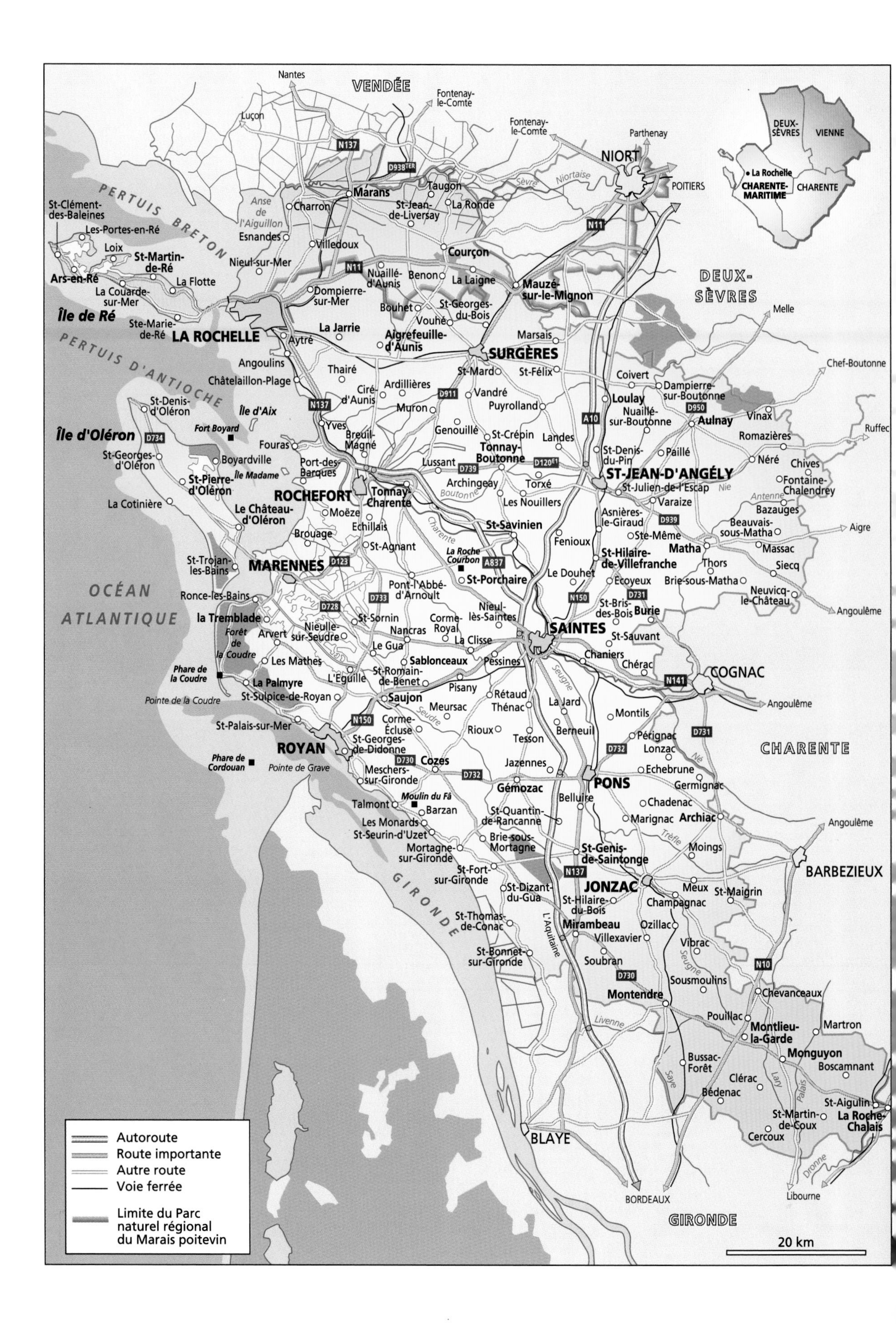

Nantes
VENDÉE
Fontenay-le-Comte
Luçon
Fontenay-le-Comte
Parthenay
NIORT
POITIERS
DEUX-SÈVRES
VIENNE
La Rochelle
CHARENTE-MARITIME
CHARENTE
PERTUIS BRETON
St-Clément-des-Baleines
Les-Portes-en-Ré
Loix
St-Martin-de-Ré
Ars-en-Ré
La Flotte
La Couarde-sur-Mer
Île de Ré
Ste-Marie-de-Ré
LA ROCHELLE
PERTUIS D'ANTIOCHE
Anse de l'Aiguillon
Charron
Marans
Taugon
St-Jean-de-Liversay
La Ronde
Sèvre Niortaise
Esnandes
Villedoux
Nieul-sur-Mer
Courçon
Nuaillé-d'Aunis
Benon
La Laigne
Mauzé-sur-le-Mignon
Dompierre-sur-Mer
Bouhet
St-Georges-du-Bois
Vouhé
DEUX-SÈVRES
Melle
La Jarrie
Aytré
Aigrefeuille-d'Aunis
Marsais
SURGÈRES
Angoulins
Thairé
St-Mard
St-Félix
Coivert
Chef-Boutonne
Châtelaillon-Plage
Ciré-d'Aunis
Ardillières
Vandré
Dampierre-sur-Boutonne
St-Denis-d'Oléron
Île d'Aix
Muron
Puyrolland
Loulay
Nuaillé-sur-Boutonne
Vinax
Ruffec
Île d'Oléron
Fort Boyard
Yves
Genouillé
Aulnay
Romazières
St-Georges-d'Oléron
Fouras
Breuil-Magné
St-Crépin
Landes
St-Denis-du-Pin
Paillé
Boyardville
Port-des-Barques
Lussant
Tonnay-Boutonne
Néré
Chives
St-Pierre-d'Oléron
Île Madame
ST-JEAN-D'ANGÉLY
Fontaine-Chalendrey
ROCHEFORT
Tonnay-Charente
Archingeay
Torxé
St-Julien-de-l'Escap
Nie
La Cotinière
Boutonne
Les Nouillers
Varaize
Antenne
Bazauges
Le Château-d'Oléron
Moëze
Echillais
Asnières-la-Giraud
Beauvais-sous-Matha
Aigre
Brouage
St-Savinien
Charente
Ste-Même
St-Agnant
Fenioux
Matha
Massac
St-Trojan-les-Bains
MARENNES
La Roche Courbon
St-Hilaire-de-Villefranche
Thors
Siecq
St-Porchaire
Le Douhet
OCÉAN ATLANTIQUE
Ronce-les-Bains
Pont-l'Abbé-d'Arnoult
Ecoyeux
Brie-sous-Matha
Neuvicq-le-Château
Angoulême
St-Bris-des-Bois
la Tremblade
St-Sornin
Corme-Royal
Nieul-lès-Saintes
Burie
Forêt de la Coudre
Arvert
Nieulle-sur-Seudre
Nancras
SAINTES
La Clisse
St-Sauvant
Le Gua
Chaniers
Phare de la Coudre
Les Mathes
Sablonceaux
Pessines
Chérac
COGNAC
L'Eguille
St-Romain-de-Benet
La Palmyre
Pisany
Rétaud
Angoulême
St-Sulpice-de-Royan
Saujon
Thénac
La Jard
Pointe de la Coudre
Meursac
Seugne
Montils
St-Palais-sur-Mer
Corme-Écluse
Rioux
Berneuil
Tesson
Pérignac
Phare de Cordouan
ROYAN
St-Georges-de-Didonne
Lonzac
CHARENTE
Pointe de Grave
Cozes
Jazennes
Meschers-sur-Gironde
Echebrune
PONS
Gémozac
Germignac
Talmont
Moulin du Fâ
Chadenac
Barzan
Belluire
Archiac
Les Monards
St-Quantin-de-Rancanne
Marignac
Angoulême
St-Seurin-d'Uzet
Brie-sous-Mortagne
Trèfle
Mortagne-sur-Gironde
St-Genis-de-Saintonge
Moings
BARBEZIEUX
GIRONDE
St-Fort-sur-Gironde
JONZAC
St-Dizant-du-Gua
Meux
St-Maigrin
St-Hilaire-du-Bois
Champagnac
St-Thomas-de-Conac
L'Aquitaine
Mirambeau
Ozillac
Villexavier
Vibrac
St-Bonnet-sur-Gironde
Soubran
Sousmoulins
Montendre
Chevanceaux
Livenne
Pouillac
Montlieu-la-Garde
Martron
Monguyon
Bussac-Forêt
Boscamnant
Clérac
Bédenac
Lary
Palais
St-Aigulin
St-Martin-de-Coux
La Roche-Chalais
Saye
Cercoux
BLAYE
Dronne
BORDEAUX
Libourne
GIRONDE
20 km
Autoroute
Route importante
Autre route
Voie ferrée
Limite du Parc naturel régional du Marais poitevin

# *Du Marais poitevin à la Gironde : la Charente-Maritime, terre de lumière*

*La côte, à Talmont.*

*La* ***Charente-Maritime****, c'est d'abord un chapelet d'îles et d'îlots.*
*Ici, l'océan se marie à la terre, les marais aux vignobles, le rêve à la réalité.*
*Aux exceptionnels monuments de Saintes ou de La Rochelle répondent ces petits villages presque anonymes dont l'église romane est souvent le seul joyau. Terre de progrès et d'aventure, meurtrie par un dur et long combat entre huguenots et catholiques, c'est aussi, sous un ciel lumineux, le pays du mimosa... et des huîtres.*
*Il a vu naître des écrivains tournés vers le rêve, le mystère ou les horizons lointains, comme Eugène Fromentin, Émile Gaboriau, Pierre Loti, Thomas Narcejac et Dominique Lapierre.*

# ÎLE D'AIX

*Au nord-ouest de Rochefort*

L'île d'Aix, en forme de croissant, fait partie de ces lieux où il n'y a, selon les critères classiques, que très peu de choses à visiter. Elle laisse pourtant un souvenir inoubliable. Tout d'abord, l'île est vraiment une île, totalement coupée du continent, ce qui n'est plus le cas de ses voisines Ré et Oléron. Ensuite, elle est toute petite : 3 km de long sur quelque 600 mètres de large. Et puis, et surtout, elle est interdite à la circulation automobile. C'est donc un des rares endroits de France où l'on puisse se promener sans aucun risque, à pied, à bicyclette... ou en calèche, au cœur d'une nature presque inviolée, dans un décor de pins, de chênes verts, de roses trémières et de tamaris.

Il y eut ici, dès le Moyen Âge, un prieuré de bénédictins (dont l'église **Saint-Martin** est le dernier vestige). Puis l'île fut censée jouer un rôle stratégique dans la protection de Rochefort. Des **fortifications** à la Vauban se retrouvent dans la partie sud de l'île, mais l'actuel **fort de la Rade** date de 1810. L'île est peuplée de retraités et vit surtout du tourisme. Autres activités : l'ostréiculture et la mytiliculture.

Bizarrement, c'est Napoléon qui est à l'honneur dans l'île. Il y a, d'ailleurs, à **Aix-Village**, une rue Napoléon, une place d'Austerlitz, une rue Marengo, une rue Gourgaud (Gaspard Gourgaud était l'officier d'ordonnance de l'Empereur)... et, bien sûr, une **maison de l'Empereur** (1809). C'est ici que Napoléon passa ses dernières heures en France, du 12 au 15 juillet 1815, avant d'être exilé à Sainte-Hélène, dans l'Atlantique Sud.

*Ile d'Aix.*

*Maison de l'Empereur. À droite, chambre de Napoléon.*

Le **Musée africain**, créé par l'arrière-petit-fils de Gourgaud, peut surprendre en ces lieux. Outre de riches collections ethnologiques, on y trouvera un dromadaire, souvenir de la période égyptienne de l'Empereur.

Le centre de l'île est à la fois champêtre et maritime (Bois Joly, anse du Saillant). Dans la partie nord se trouve le **fort Liédot** où Mohammed Ben Bella fut interné de 1959 à 1961, avant de devenir président de la jeune République algérienne. On rêve d'en faire un musée.

Le visiteur peut se rendre à Aix soit de La Rochelle ou de Fouras et, bien sûr, de Ré ou Oléron (Boyardville).

Il y a quelques siècles, on pouvait aller à pied, à marée basse, de l'île d'Aix à **Châtelaillon**, la commune qui lui fait face avec son fort Saint-Jean. Détail peu connu : l'écrivain et journaliste Dominique Lapierre est né à Châtelaillon en 1931. Après une brillante carrière à *Paris-Match*, il s'est fait connaître par une série de best-sellers comme *Paris brûle-t-il ?* (1964), *Cette nuit la liberté* (1975) et *La Cité de la joie* (1985). Il partage aujourd'hui son temps entre Paris, Ramatuelle… et Calcutta, ville dont il est citoyen d'honneur.

Plus au sud, l'**île Madame** est encore plus petite qu'Aix (1 km de long sur 600 m de large). Elle est reliée au continent à marée basse (la Passe-aux-Bœufs). Deux cent cinquante-quatre prêtres victimes de la Terreur (v. Rochefort) sont inhumés dans l'île, à la Croix-des-Galets.

## AULNAY-DE-SAINTONGE

*Au nord-est de Saint-Jean-d'Angély*

Audecanum, devenu Aulnay, était à l'origine un camp romain. Aujourd'hui, les seuls légionnaires qu'on y rencontre sont les hordes de touristes qui viennent visiter une des plus belles églises romanes de France. Elle fut construite, comme beaucoup d'autres, sur la route de Compostelle.

L'**église Saint-Pierre** date des environs de 1150. Vue de loin, sa façade manque un peu d'élégance, à cause des contreforts, ajoutés au XVe siècle. Mais les portails ouest et sud atteignent la perfection. Constitués de quatre voussures, ils sont l'un et l'autre peuplés de personnages ou d'animaux (noter, sur le portail ouest, la crucifixion de saint Pierre). À l'intérieur, les **chapiteaux** sont également d'une rare qualité (ne pas manquer celui de Samson et Dalila et celui des éléphants).

*Aulnay : sarcophages sur pilotis.*

*Portail roman d'Aulnay-de-Saintonge.*

*Page de droite, en haut : échauguette et fortifications de Brouage (XVIIe).*
*En bas à gauche : donjon d'Aulnay.*
*En bas à droite : havre de Brouage.*

Dans le cimetière, sarcophages sur pilotis et **croix hosannière** du XVe (v. Brouage). À l'est de la commune, il reste un **donjon** esseulé (XIII ?).

Dans les environs, au nord-ouest, se trouve le superbe château Renaissance de **Dampierre-sur-Boutonne** (début XVIe, restauré), construit sur une île de la Boutonne. Voir aussi la **maison de l'Âne du Poitou**.

*Dampierre-sur-Boutonne : château du XVIe.*

## BROUAGE

*Au sud-ouest de Rochefort*

Grandeur et décadence... Au XVIe siècle, Brouage avait pris le relais du port de Broue — dont il reste une tour, égarée dans les marais —, délaissé pour cause d'envasement. Il devint très vite un des grands ports du royaume, enrichi par le commerce du sel et commerça avec toute l'Europe du Nord.

Pendant les guerres de Religion, la ville devient une place forte catholique, et on y élève de puissantes fortifications. Vauban et Richelieu poursuivent les travaux. La création de Rochefort par Colbert, en 1666, signe la condamnation de Brouage dont le port, gagné par la vase, devient peu à peu inutilisable.

La cité n'est pas sans intérêt, même s'il y flotte un parfum de tragique nostalgie. On verra la **porte Royale**, la **porte de Marennes** et, surtout, les fortifications (milieu XVe). On pourra aussi se rendre aux **halles** et saluer le **palais des Gouverneurs** ou vécut Marie Mancini, nièce de Mazarin, qui se fit aimer de Louis XIV. Le bon cardinal veillait... et éloigna sa nièce à Brouage.

L'**église Saint-Pierre-et-Saint-Paul** est de 1608 ; à l'intérieur, exposition sur la fondation du Québec. Il faut, en effet,

*Moëze : croix hosannière (XVIe) et église Saint-Pierre.*

*Halles de Brouage.*

*Moulin du Fâ.*

*Page de droite : phare de Cordouan (début XVIIe).*

rappeler que Brouage est la ville natale de Samuel de Champlain, un des explorateurs du Canada. On sait très peu de choses sur son enfance et on ignore même sa date de naissance (vers 1570).

Les marais recouvrent les environs de la ville. Le paludisme y était jadis fréquent et décima même une partie de la population au XVIIIe siècle.

Au nord de Brouage, **Moëze** possède un sanctuaire du XVIIe et, surtout, une **croix hosannière** (XVIe), unique en France. Il s'agit d'un monument où les bons chrétiens, le jour des Rameaux, déposaient une branche de buis béni en chantant le « Hosanna » (prière dont le nom vient de l'hébreu). Toute la région est devenue une réserve ornithologique.

## CORNICHE DE LA GIRONDE

*À l'ouest de Saintes*

La région comprise entre la forêt de la Coubre, au nord-ouest de Royan, et la frontière avec le département de la Gironde, est appelée, selon les guides, « route verte » ou « corniche de la Gironde ». On parle aussi de la « côte de Beauté », dont Royan serait la capitale. Le paysage est verdoyant, ponctué de vignobles, de chênes verts et de pins maritimes aux formes torturées.

Partant du sud, on peut commencer la visite pa **Mirambeau**, dont le château du XIVe (très remanié) est situ dans un grand parc. Puis nous gagnons, pour nous rapproche du fleuve, **Saint-Thomas-de-Conac**, dont l'église d'origin romane possède un remarquable chevet. Le château de Conac est en ruines mais, bien situé sur une hauteur, il permet d'apprécier le paysage qui, en l'occurrence, est surtout constitué par un grand marais. À noter aussi un beau moulin.

**Saint-Dizant-du-Gua** est connu pour ses sources naturelles (« Les Fontaines Bleues ») et son château de Beaulor (fin XVe). **Saint-Fort-sur-Gironde** possède une intéressante église du XIIe, remaniée ; noter la façade et les chapiteaux. À **Mortagne-sur-Gironde**, voir l'ermitage Saint-Martial (pièces creusées dans le roc) avec chapelle du IXe.

C'est à partir d'ici que la « route verte » devient vraimen corniche. On traverse des petits ports, souvent pleins de charme, comme **Saint-Seurin-d'Uzet** et **Les Monards**. **Barzan** est une station balnéaire avec plage. Campé sur sa colline, le **moulin du Fâ** est, en réalité, un site gallo-romain (« fâ » vien du latin *fanum*, temple).

Mais, s'il y avait une seule raison de se rendre sur les bords charentais de la Gironde, c'est à **Talmont** qu'il convien-

*Talmont : église Sainte-Radegonde (fin XI^e^).*

drait d'aller la chercher sous la forme d'une des plus belles églises romanes de Saintonge. Talmont était jadis un des ports d'embarquement pour Saint-Jacques-de-Compostelle.

L'église Sainte-Radegonde, c'est d'abord un site imprenable : le sanctuaire est campé sur le bord d'une falaise surplombant le fleuve. La mer est toute proche, au-delà de la pointe de Grave, et l'air marin a d'ailleurs dégradé certaines sculptures de l'église.

Le portail nord est riche en représentations diverses. On fera le tour de l'église pour admirer le remarquable chevet, presque aussi élevé que le clocher très trapu, comme pour mieux résister au vent. L'intérieur est tout aussi beau, avec divers chapiteaux romans.

Il convient également de flâner dans la ville et de se promener à travers les rues fleuries de Talmont dont les maisons basses et blanchies à la chaux créent une atmosphère particulière. On peut en savoir plus en visitant le **musée** de la Société des Amis de Talmont.

**Meschers-sur-Gironde** est station balnéaire et port de pêche. La commune possède aussi des grottes d'origine préhistorique. L'une d'elles (« Les Grottes de Matata ») est aujourd'hui restaurant.

Entre Meschers et Royan, on verra beaucoup de cabanes sur pilotis avec leurs filets de pêche (les carrelets). Pendant longtemps, la pêche à l'esturgeon (pour le caviar) a fait la richesse du coin, mais celle-ci est désormais interdite. On se rattrape sur les anguilles. **Saint-Georges-de-Didonne** est une station balnéaire. Son château a été remplacé par un **parc-arboretum** et un musée agricole (avec dégustation !).

Au-delà de Royan (v. à ce nom), on entre dans la presqu'île d'Arvert et la forêt de la Coubre. Le paysage a été modelé par les éléments, les courants, les alluvions. Ici la carte du littoral n'est jamais définitive, puisque « les sables marchent ». **Saint-Palais-sur-Mer** est une autre station balnéaire, comme sa voisine **La Palmyre** (dont le zoo est très visité). Le **phare de la Coubre** (1905) permet, après quelque 300 marches, d'apprécier le paysage. À travers la forêt de la Coubre, on gagne **Ronce-les-Bains**, une autre station, et **La Tremblade**, qui possède un musée consacré à l'ostréiculture. À **Arvert**, qui a donné son nom à la presqu'île, voir la façade romane de l'église.

**Saujon** est une station thermale (maladies nerveuses). On peut aussi essayer de se soigner les nerfs en lisant les romans policiers d'Émile Gaboriau (1832-1873), né à Saujon. Dans l'église Saint-Jean-Baptiste (XIX^e^), on verra quatre très beaux **chapiteaux romans** (Daniel dans la fosse aux lions ; Pèsement des âmes ; Résurrection ; pêcheur portant un poisson).

Certes, nous ne sommes plus ici sur la « route verte », mais sur les bords de la Seudre. Il y a cependant une unité dans toute cette zone comprise entre la Gironde et les marais de la Seudre.

*Château de Jonzac (XVe-XVIIe).*

## FOURAS

*À l'ouest de Rochefort*

Cette station balnéaire joua jadis un rôle militaire important, notamment aux XVIIe et XVIIIe siècles, en raison de sa position stratégique (protection du port de Rochefort). Le **fort Vauban** (XVIIe), qui incorpore un donjon du XVe, a été transformé en musée. Du sommet, beau panorama sur la région.

Les hasards de l'histoire ont fait de Fouras la capitale du point final. C'est ici, en effet, que Napoléon quitta définitivement la France (v. île d'Aix). Et c'est ici que fut signée la reddition de la « poche de La Rochelle », en 1945.

À Fouras, on peut embarquer pour l'île d'Aix... et pour une promenade en mer (par exemple, approche de Fort Boyard).

## JONZAC

*Au sud du département*

Autres temps, autres mœurs : le château, situé à l'est de la ville, abrite aujourd'hui la mairie et la sous-préfecture. Le bâtiment comporte un imposant châtelet (milieu XVe), qu'on croirait sorti d'un livre d'architecture bretonne. C'est le seul vestige important de la construction initiale ; le reste date du XVIIe. Dans la cour intérieure, on notera

*Armes de Jonzac (sur le château).*

*Sources thermales de Jonzac.*

*Page de gauche : château de Jonzac, sur les bords de la Seugne.*

*Ci-dessous : cloître (XVIIe) du couvent des Carmes.*

divers ornements de la même époque. En fait, ce château, qui domine la vallée de la Seugne, a perdu beaucoup de sa personnalité en 1855 quand les douves ont été comblées.

Autour de ce château s'est développé ce qu'on appelle le bourg, c'est-à-dire la vieille ville. Elle comprend encore une belle **porte fortifiée** (XVe). Plus à l'ouest, l'**église Saint-Gervais-et-Saint-Protais** (deux saints protecteurs valent mieux qu'un) a été très restaurée au XIXe, mais elle garde une intéressante façade romane. À proximité, halle métallique (XIXe).

Passé un pont de pierre de XIXe, on atteint la rive gauche de la Seugne. Un **couvent des carmes** y fut fondé au début du XVIe siècle. Il abrite aujourd'hui un centre culturel et sa chapelle, le palais de justice. Le **cloître** du XVIIe a été très restauré.

Jonzac fut longtemps une ville de tannage. C'est aujourd'hui un des marchés du cognac et du pineau, mais aussi un centre de thermalisme (traitement des rhumatismes).

Au sud de la ville, les **falaises d'Heurtebise** comportent des grottes préhistoriques, des carrières de pierre et la station thermale, ouverte en 1986.

Jonzac est la ville natale de Régis Messac (1893-1943), spécialiste et romancier de science-fiction.

## MARANS

*Au nord-est de La Rochelle*

Nous sommes ici dans la partie charentaise du parc naturel du Marais poitevin (v. à ce nom dans la partie Deux-Sèvres). Marans, sur la Sèvre niortaise, a un joli petit **port** et de belles demeures des XVII^e^ et XVIII^e^ siècles. Exposition de faïences (ancienne spécialité de la ville) à la mairie. À l'est, le **canal de la Banche** s'étire en ligne droite sur vingt-six kilomètres. La région fut chantée par le futur Henri IV en 1588.

Au sud-ouest, **Esnandes** recèle une **église** fortifiée, dont la construction s'étala du XII^e^ (façade) au XIV^e^. Sur la commune, **maison de la Mytiliculture**. La tradition assure que les bouchots sont apparus ici au XIII^e^ siècle. La **pointe Saint-Clément**, sur la baie d'Aiguillon, peut être considérée comme le point final charentais du Marais poitevin.

## MARENNES

*Au sud-ouest de Rochefort*

Marennes, à l'embouchure de la Seudre, est un des hauts lieux européens de l'huître (vidéorama au syndicat d'initiative). L'église a un haut clocher (XV^e^) d'où l'on jouit d'un panorama étendu sur la côte, Oléron et la presqu'île d'Arvert. Le **château de la Gataudière** (milieu XVIII^e^) appartenait à François Fresneau (1703-1770) qui fut un des premiers à s'intéresser à l'arbre à caoutchouc en Guyane.

En se rendant sur l'île d'Oléron, on aperçoit le **fort du Chapus** (1691) qui faisait partie des fortifications construites par Vauban pour défendre et surveiller la côte atlantique. On peut y accéder à marée basse.

Sur l'ostréiculture, v. aussi Oléron.

## MONTGUYON

*Au sud du département*

Le **château** médiéval fut la propriété de la famille La Rochefoucauld. Il en reste quelques vestiges, dont les écuries. Le cadre est utilisé pour le festival de musique et danses populaires qui se déroule en juillet (Mondiofolk). L'**église** est romane, avec une tour octogonale du XIII^e^.

Au nord-est le dolmen de la **Pierre-Folle** permet d'admirer le point de vue et, si l'on aime les randonnées, de prendre le chemin de Charlemagne.

*Fort Boyard (XIX^e^).*

## ÎLE D'OLÉRON

*À l'ouest de Rochefort*

Un nom très ancien, dont la prononciation (Ol'ron) est un défi à l'orthographe. Cette île — la plus grande de France (170 km$^2$) après la Corse — s'étire sur trente-cinq kilomètres du pertuis de Maumussion, au sud, au pertuis d'Antioche, au nord

Oléron, c'est un paysage de dunes, de vignobles et de parcs à huîtres. Un ciel souvent lumineux. Un climat très doux, qui favorise le mimosa, le tamaris et le laurier-rose. C'est aussi un littoral incertain, constamment redessiné par l'eau et le vent. Mais aussi une psychologie insulaire, même si Oléron est relié au continent, depuis 1966, par un viaduc de trois kilomètres.

*Oléron : port ostréicole.*

L'ostréiculture est la grande industrie de la région (Oléron, pays de Marennes et de la Seudre). Mais, pendant longtemps — même si l'huître était prisée depuis l'Antiquité —, c'est le sel qui était pour l'île la principale source de richesse. L'ostréiculture sur une grande échelle — telle qu'on la conçoit aujourd'hui — est une création récente (XVIII^e^). Aujourd'hui, plus de la moitié des huîtres dégustées par les Français viennent de la zone Oléron-Marennes. La plupart de ces huîtres sont, en fait, des « japonaises », fort bien adaptées à la région, même si les huîtres locales sont les plates. Japonaises ou locales, elles deviennent ici des huîtres vertes (couleur qui provient d'une algue, la navicule bleue).

En arrivant du continent, on peut se rendre tout d'abord à **Château-d'Oléron** (avec un trait d'union, car c'est le nom de la commune). Point de château ici, d'ailleurs, mais une **citadelle** (1642, restaurée) qui faisait partie du système de défense

*Citadelle à Château-d'Oléron (XVII^e^).*

créé par Louis XIV pour protéger Rochefort. Il y a un **musée de l'huître**. Noter la **fontaine** Renaissance, place de la République.

Par **Dolus**, où l'on peut voir un **parc ornithologique**, on gagne **Boyardville**, petit port discret mais qui reste attachant en toutes saisons. Détail peu connu : c'est ici que se trouve, depuis 1982, un des rares lycées expérimentaux de l'Éducation nationale, dont le nom mystérieux (LEPMO) signifie Lycée expérimental polyvalent maritime en Oléron. En tout cas, le calme de Boyardville en hiver est, sans aucun doute, propice au travail intellectuel et à la réussite.

Le lycée, en bordure de la forêt des Saumonards, donne sur la plage d'où l'on aperçoit **fort Boyard**, étonnante forteresse élevée de 1804 à 1859 pour protéger Rochefort et veiller sur l'estuaire de la Charente. L'enrochement fut très délicat. Le fort s'avéra inutile quand il fut achevé (ce qui est souvent le propre des grands travaux). Faute de mieux, on en fit une prison, puis on l'abandonna au début de ce siècle... jusqu'à une époque récente. Il servit de décor au *Repos du guerrier* (1962) et aux *Aventuriers* (1966). Désormais médiatisé à outrance, fort Boyard est aujourd'hui célèbre à travers toute la France. Du moins Boyardville n'aurait-il pas existé sans ce fort, puisque sa naissance est contemporaine de l'arrivée des ouvriers, en l'occurrence des prisonniers du bagne de Rochefort.

**Saint-Georges-d'Oléron** possède des **halles** mais surtout le plus beau sanctuaire de l'île, une église romane (XI$^{e}$-XII$^{e}$, restaurée). Église romane également (très remaniée) à **Saint-Denis-d'Oléron**, au nord de l'île. La côte nord-ouest s'appelle la **côte Sauvage**, en raison sans doute de la violence avec laquelle l'Atlantique vient s'écraser contre ses dunes. Le **phare de Chassiron** a été construit en 1836. Au large, **tour d'Antioche** élevée sur des rochers.

**Saint-Pierre-d'Oléron**, la capitale, a un indéniable cachet avec ses belles maisons et ses rues piétonnières. Du haut de l'**église** du XVII$^{e}$, on peut admirer le paysage. La commune possède aussi une rarissime lanterne des morts (début XIII$^{e}$ ?), surmontée d'un lanternon ajouté au XVIII$^{e}$. Rue Pierre-Loti, **musée Aliénor-d'Aquitaine** et **maison des Aïeules**, où vivaient les grands-parents de Pierre Loti ; le jardin recèle la tombe de l'écrivain (mais, *requiescat in pace*, on ne visite pas).

On peut encore se rendre à **La Cotinière**, seul port de la côte ouest et capitale de la crevette (les fameux « bouquets d'Oléron »). La Cotinière, célèbre pour sa criée, est le premier port crevettier de France et le deuxième du monde après Holsteinborg (Groenland). **Vert-Bois** et **Grand-Village-Plage** (la toponymie n'est ici guère convaincante) ont de belles plages. On visitera, à proximité, la **Maison paysanne oléronaise**. **Saint-Trojan-les-Bains** accueillit un premier sanatorium en 1896. On peut emprunter le petit train pour traverser sa belle forêt domaniale.

*Page de gauche : Oléron, maison de pêcheur.*

*Saint-Pierre-d'Oléron : lanterne des morts.*

## PONS

*Au sud de Saintes*

La cité est bâtie sur un rocher dominant la vallée de la Seugne, affluent de la Charente. Son **donjon**, haut de 30 mètres, est un exemple exceptionnel d'architecture militaire de l'époque romane, construit vers 1185. La plate-forme permet, après 133 marches, de découvrir le panorama. Du château, détruit en 1622, il ne reste que des vestiges dont la chapelle Saint-Gilles (portail roman).

L'**église Saint-Vivien**, nettement plus au sud, est d'origine romane (XII$^{e}$), mais elle a été remaniée et même reconstruite à l'intérieur, notamment au XVIII$^{e}$.

Un autre monument unique se trouve à proximité : le **porche roman** de l'hospice des pèlerins (fin XII$^{e}$) qui enjambe la route de Compostelle. La seule présence de ce porche et du donjon fait de Pons une étape obligatoire pour toute découverte du Poitou-Charentes.

L'écrivain Agrippa d'Aubigné (1552-1630) était né à Pons. Il mourut en exil à Genève.

Les environs regorgent d'églises romanes. Au risque d'être injuste, on nous permettra d'avouer une préférence pour les églises d'**Echebrune**, **Lonzac** et **Chadenac**, à l'est, et **Saint-Quantin-de-Rançanne**, au sud.

*Façade romane de l'église Saint-Vivien (XII$^{e}$).*

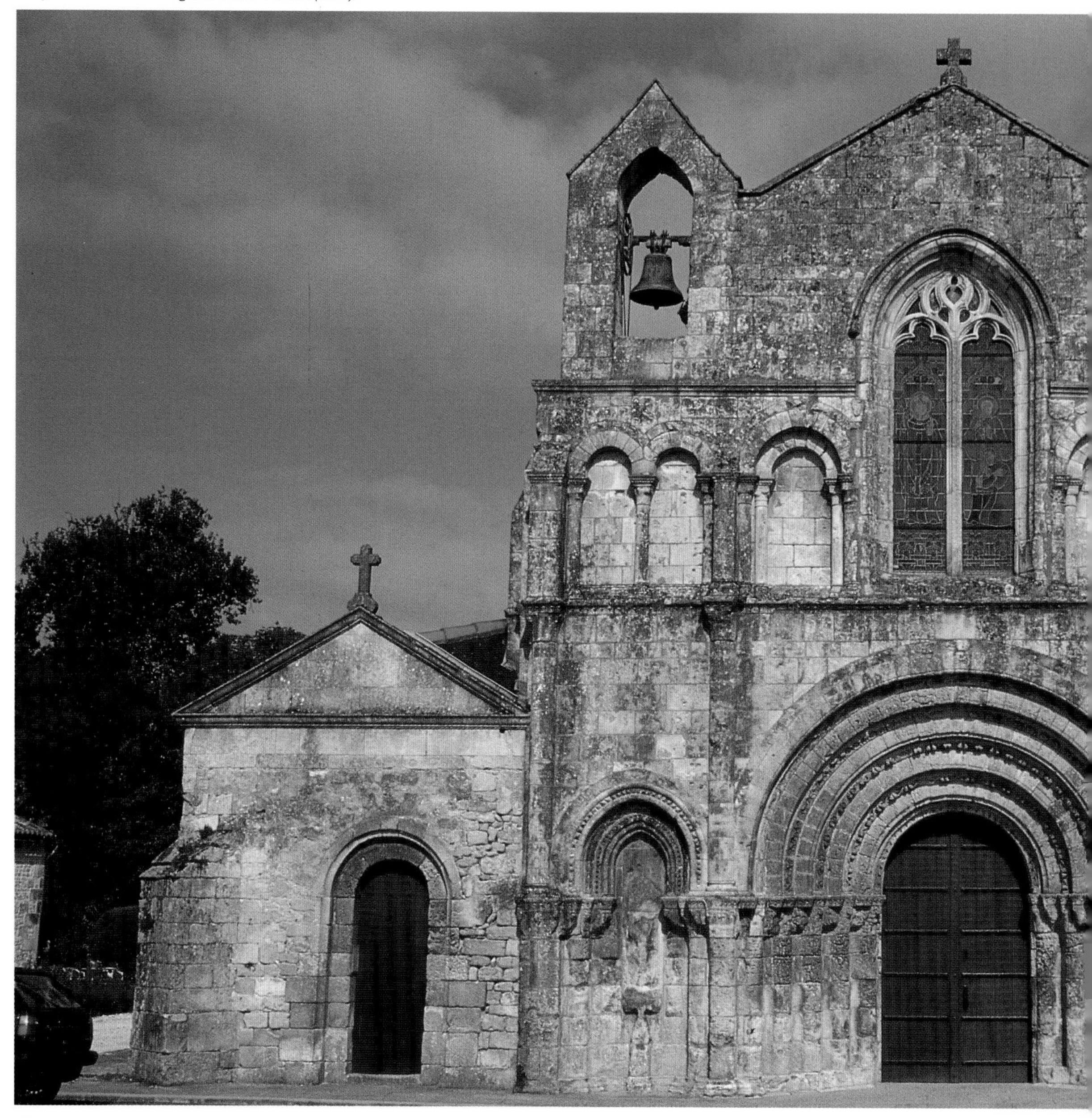

Au sud, par la D 249, on atteint l'étonnant **château d'Usson** (milieu XVIe)… qui a été entièrement déménagé, en 1884, d'Echebrune à Pons !

Fils d'un tailleur, Émile Combes, né en 1835 à Roquecourbe (Tarn), a longtemps vécu à Pons, où il est d'ailleurs mort en 1921. Son nom est quelque peu oublié aujourd'hui, mais pas sa politique qui aboutit, en 1904, à la séparation de l'Église et de l'État. Formé par les bons pères, cet ancien professeur de l'enseignement catholique se manifesta par son anticléricalisme forcené. Très doué, il fit des études de lettres, de théologie, de droit et de médecine. Il arriva à Pons comme professeur puis devint le maire de la ville.

*Donjon de Pons (XIIe).*

*Détail de sculpture : église de Chadenac.*

## L'ÎLE DE RÉ

*À l'ouest de La Rochelle*

L'île, dit-on, a « la taille d'une guêpe ». Il convient donc, pour ne pas l'irriter, de la visiter à bicyclette, moyen de locomotion préféré des îliens. Formée, en fait, de quatre îles ou îlots aujourd'hui réunis (Ré proprement dit, Les Portes, Ars et Loix), l'actuelle île de Ré est deux fois plus petite qu'Oléron (85 km$^2$). Elle est aussi moins peuplée que sa voisine. Plus plate (elle culmine à 18 m !), elle est pour l'essentiel recouverte de dunes et jouit d'une flore, sinon d'un climat, méditerranéen, car son ensoleillement est exceptionnel : mimosas, amandiers, lauriers-roses, cistes, myrtes et romarins. Pendant des siècles, le sel fut sa principale richesse. Il n'y a plus que quelques sauniers aujourd'hui. L'économie de l'île est désormais fondée sur les huîtres, la pêche, le vin, les asperges... et le tourisme (nombreuses fêtes locales). Depuis 1989, Ré est reliée par un pont (2,9 km) au continent.

Depuis le Moyen Âge, l'histoire de l'île se confond souvent avec celle de La Rochelle, sa voisine d'en face. Le phénomène s'amplifie au XVIe siècle, quand La Rochelle devient une place forte protestante. Puis le pouvoir royal décide de fortifier Ré. Son importance stratégique s'avère bientôt d'autant plus importante qu'un nouveau port, Rochefort, vient d'être créé. Par une curieuse ironie de l'histoire, ces fortifications ne serviront guère à ceux qui les ont construites mais, beaucoup plus tard, aux Allemands qui les renforceront et y dresseront des blockhaus... ceux que l'on peut voir dans le film *Le Jour le plus long* (1962).

**Rivedoux**, village ostréicole et station balnéaire, est le premier hameau que rencontre le visiteur. À proximité, **fort de la Prée** (1625, complété en 1655), construit pour défendre La Rochelle.

Sur la route de La Flotte, on verra les ruines gothiques de l'**abbaye des Châteliers**, créée en 1178. Dans sa nudité toute cistercienne, privée de sa toiture, l'abbaye vue de nuit, sous le feu des projecteurs, est une image inoubliable.

L'attachant village de **La Flotte**, spécialisé dans la pêche aux casiers, mérite d'être découvert à pas lents, ruelle après ruelle. Il ne faut surtout pas manquer le marché avec sa cour carrée.

**Saint-Martin-de-Ré**, la capitale, fut choisi pour la construction d'une citadelle en 1625, mais elle fut rasée peu après. Une autre fortification la remplaça à la fin du XVIIe

*Page de droite, en haut : depuis 1989, l'île de Ré est reliée au continent.*

*Page de droite, en bas : le port d'Ars-en-Ré et Saint-Martin-de-Ré.*

*Intérieur du phare des baleines*

*Le port de Saint-Martin-en-Ré.*

*Abbaye des Châteliers (XIIe).*

*Page de droite : Saint-Clément-des-Baleines, vue du phare.*

siècle. Elle allait devenir, au siècle suivant, le lieu de rassemblement des bagnards en partance pour Cayenne et Nouméa. On verra la porte des Campani (XVIIe), la caserne Toiras (1692), la Poudrière (fin XVIIe) et le Musée naval situé dans l'hôtel Clerjotte (XVe-XVIIe). L'église Saint-Martin (XVe), qui se dresse au-dessus du port, est certes en ruines, mais celles-ci sont impressionnantes. On pourra se promener dans les ruelles qui entourent le sanctuaire (belles demeures anciennes).

**Loix** était encore un îlot au XIXe siècle. On y verra la maison des marais salants et le dernier moulin à marée de l'île. Le **Fier d'Ars** constitue une mer intérieure, d'ailleurs réservée aux oiseaux (réserve de Lileau des Niges). Le mot « fier » signifie sans doute « fjord », mais cette étymologie est incertaine (comme l'est celle de la coiffe quichenotte, mot qui, assurent les manuels, vient de l'anglais... *kiss me not*, « ne m'embrassez pas »). *Se non è vero, è ben trovato !*

Le village d'**Ars**, qui a beaucoup d'attrait, est dominé par la célèbre flèche blanc et noir de l'église (qui sert d'amer). Le sanctuaire a été remanié au fil des siècles (XIIe-XIIIe-XVIe).

**Saint-Clément-des-Baleines** a un nom pittoresque dont l'origine est controversée. Le phare des Baleines (257 marches) a été construit en 1854. La Grande-Conche servit

*Saint-Martin-de-Ré.*

*Ars : portail roman.*

pour le tournage du *Jour le plus long.* **Les Portes**, dans l'extrémité nord-ouest, est lieu de villégiature pour des artistes comme Charles Aznavour (qui a d'ailleurs chanté le bois voisin de Trousse-Chemise !).

Sur la côte sud, on verra **La Couarde-sur-Mer** et **Le Bois-Plage** (bon pineau à déguster), deux stations très fréquentées. **Sainte-Marie-de-Ré** est un petit village traditionnel.

De Mistinguett à Nicole Garcia, l'île a toujours séduit le tout-Paris des personnalités, artistes et écrivains. On a l'impression, certains jours, d'y feuilleter les pages du *Who's Who.* Comme l'écrit avec humour la revue *Îles* en 1995, « les Claude Nougaro, Jean-François Kahn, Jacques Toubon et Claude Rich viennent aux Portes chercher la liberté que le bagne des médias les empêche de trouver ! ».

Sans compter que le pénitencier a lui-même reçu des gens qui continuent de figurer dans les dictionnaires, comme le journaliste politique Henri Rochefort (qui, de là, fut déporté à Nouméa), le capitaine Dreyfus et Henri Béraud, l'écrivain lyonnais (1885-1958).

Celui-ci eut vraiment partie liée avec l'île. Journaliste célèbre, romancier truculent, il venait de glaner le prix Goncourt quand il acheta, en 1923, une maison à Saint-Clément-des-Baleines. C'est là qu'il écrivit le meilleur de son œuvre. Ironie : c'est à la prison de Saint-Martin-de-Ré qu'il fut transféré, en 1947, après avoir été condamné à mort (mais il fut sauvé par François Mauriac). Béraud put regagner sa maison de Saint-Clément-des-Baleines en 1950 et ne la quitta plus.

L'île de Ré est un monde à part. On y lit plus volontiers *Le Canard rétais* que *Le Canard enchaîné*, *Le Phare de Ré* que *L'Écho de la Bourse*. Tout le monde est certes le bienvenu, mais on se méfie du continent : depuis des siècles, il n'a apporté que des malheurs.

Château de La Roche-Courbon.

Ci-dessous : La Roche-Courbon, salle à manger.

## LA ROCHE-COURBON

*Au sud-est de Rochefort*

Le château de La Roche-Courbon, près de **Saint-Porchaise**, est l'un des plus impressionnants de la région. Il a été construit au XVe siècle et modifié au XVIIe ; le donjon a conservé son aspect initial. L'ensemble est serti dans un jardin à la française, qui remonte au XVIIIe, puis complété par un plan d'eau.

Pierre Loti, dont la sœur habitait Saint-Porchaise, connaissait bien le site. C'est lui qui, en 1908, par un article dans *Le Figaro*, entreprit une campagne pour la restauration du château et de son jardin, abandonnés tout au long du XIXe siècle. Ce sont les efforts d'un enfant du pays, Paul Chenereau, qui aboutiront à la résurrection de l'ensemble.

**Geay**, au nord, comporte une **église romane**, dont l'abside à cinq pans et sur trois étages mérite, à elle seule, un grand détour.

**Pont-l'Abbé-d'Arnoult**, à l'ouest, possède les vestiges d'un prieuré bénédictin (noter la façade romane de l'église). C'est ici qu'est enterré René Caillié (1799-1838), premier Européen à avoir visité Tombouctou (1828). Il était né à Mauzé-sur-le-Mignon (Deux-Sèvres).

## ROCHEFORT

*Au sud de La Rochelle*

Le destin d'une ville se décline sur un mode tragique ou comique. Rochefort ne faillit pas à la règle, avec ses pontons de sinistre mémoire (1794) et ses riantes « Demoiselles » (1966) qui enchantèrent nos vertes années. On retrouve ces deux aspects de la vie dans ce port — à la fois fluvial et maritime —, d'une élégance toute classique, mais marquée par la sévérité militaire. Des centaines de navires ont été construits dans son arsenal et, pendant des générations, tous les cordages de la marine y ont été fabriqués.

Avec l'envasement progressif de Brouage (v. à ce nom), il convenait de créer un nouveau port sur cette zone littorale qui, au XVII^e^ siècle, avait une grande importance stratégique. Rochefort, en fait, existait déjà depuis longtemps, mais ce n'était qu'un humble hameau. Le port lui-même fut créé en 1666, sur décision de Colbert, mais c'est un de ses cousins qui réalisa le travail sur le terrain. Rochefort devait faire partie d'un vaste ensemble de fortifications, une sorte de « mur de l'Atlantique » avec, par exemple, fort Chapus, l'île Madame, l'île d'Aix, l'île d'Oléron et l'île de Ré. Plus tardif, fort Boyard procède cependant du même esprit.

À l'est, la **Corderie royale** (1670, restaurée) fut construite sur les bords de la Charente. C'était l'atelier de l'arsenal où l'on fabriquait les cordages. Long de 373 mètres, c'est un superbe bâtiment classique avec toits à la Mansart et frontons de lucarnes incurvés ou triangulaires. Cette élégante architecture convient mieux à ce que le bâtiment est devenu aujourd'hui : un centre scientifique et culturel. Un important festival littéraire s'y est tenu en 1995.

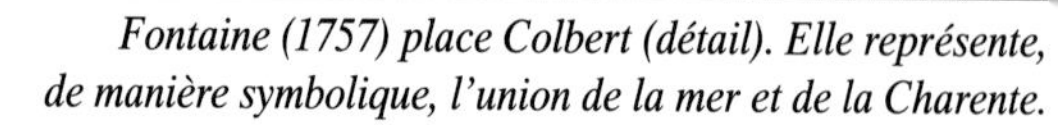

*Fontaine (1757) place Colbert (détail). Elle représente, de manière symbolique, l'union de la mer et de la Charente.*

Çà et là dans la ville, on croisera d'autres vestiges de l'époque royale, par exemple l'**hôtel de La Touche-Tréville** (devenu palais de justice), l'**hôtel de ville** (XVIII^e^), la **préfecture maritime** (XVII^e^-XVIII^e^), la **porte du Soleil** ou l'hôtel des seigneurs de **Cheusses**, qui sert aujourd'hui de **musée de la Marine**.

Rochefort comporte d'autres musées : **musée d'Art et d'Histoire**, avenue Charles-de-Gaulle, et **Musée archéologique**, avenue Rochembeau. Notons enfin le **théâtre de la Coupe-d'Or** (XVIII^e^-XIX^e^) et la belle **fontaine** du XVIII^e^, place Colbert.

*Vieux port : magasin aux vivres (XVII^e^).*

*Musée de la Marine.* *La Corderie royale (XVIIe).*

Note tragique : sous la Terreur, des prêtres furent conduits sur les pontons de Rochefort, où beaucoup moururent dans des conditions épouvantables ; 254 d'entre eux furent enterrés sur l'île Madame.

Note colorée : avec son centre du Conservatoire du bégonia, Rochefort se veut la ville de cette fleur... puisqu'elle porte le nom de Michel Bégon, intendant aux Caraïbes puis à Rochefort, ami du botaniste Charles Plumier qui l'avait ramenée de Saint-Domingue au XVIIIe.

Note philosophique : Maurice Merleau-Ponty (1908-1961) est né à Rochefort ; son œuvre est réservée aux initiés.

Et il convient de terminer par la fantaisie : cette ville géométrique et découpée en damier est aussi la ville natale d'un esprit peu cartésien, Pierre Loti (1850-1923), dont la **maison** constitue un des hauts lieux de la ville. Des milliers et des milliers de visiteurs s'y pressent chaque année. La chambre de l'écrivain — d'origine protestante, il est vrai — est singulièrement dépouillée. Mais le reste de la maison constitue un stupéfiant capharnaüm avec salon turc, salle médiévale avec fenêtres gothiques, salon rouge, salon bleu, salle à manger Renaissance, chambre arabe... Il y a même une mosquée avec des carreaux de faïence en provenance de Damas !

*Porte du Soleil (XIXe).*

*Maison de Pierre Loti.*

Élève à l'École navale, puis officier de marine, Loti a laissé une œuvre abondante, colorée, marquée par l'attrait de l'Orient et des pays lointains. En filigrane de son œuvre — et de sa vie — transparaît un goût singulier pour le déguisement et même pour le travestissement. Loti ne s'aimait pas (« Je n'étais pas mon type », gémissait-il), et ce Narcisse à rebours se préférait fardé et déguisé. Il essaya tous les costumes, y compris celui d'académicien, puisqu'il le devint à 41 ans. À sa mort, la Turquie — un de ses pays préférés — déclara un jour de deuil, et il y a, aujourd'hui encore, un « Piyerloti Café » à Istanbul. Même en France, qui pourtant n'aime pas les écrivains à succès, il eut droit à des funérailles nationales. Il repose dans l'île d'Oléron.

Autre écrivain né à Rochefort : Pierre Ayraud (1908), plus connu sous le nom de Thomas Narcejac. Fils d'un officier de marine, il fait ses études secondaires à Saintes et Poitiers avant de monter à Paris. Spécialiste du roman policier (*Esthétique du roman policier,* 1947), il a lui-même signé, avec son compère Pierre Boileau, de nombreux romans.

Au sud de Rochefort, on pourra voir la belle église romane d'**Échillais** (façade saintongeaise). À l'est, à **Tonnay-Charente**, l'église Saint-Étienne (XVI^e^) possède un clocher-porche du XII^e^.

## LA ROCHELLE

*Au nord-ouest de Rochefort*

Les Français associent La Rochelle aux « Francofolies », au festival de cinéma... et aux « filles de La Rochelle » popularisées par une chanson. Les premiers de la classe — s'il en existe encore — se souviennent aussi de sa conversion au protestantisme et du fameux siège par Richelieu en 1627-1628. Le pieux cardinal l'emporta, comme chacun sait, au prix de quelque 23 000 morts, mais la raison d'État n'a pas de prix.

Pour superficielles et volatiles que soient ces images, elles résument cependant assez bien ce qu'est La Rochelle : une capitale culturelle, un port, une ville rebelle. La très riche histoire de la cité huguenote ne peut être résumée en quelques lignes, mais ceux qui veulent en savoir plus n'auront aucun mal à trouver d'excellents volumes sur la question. Dégageons simplement quelques faits essentiels : le port de La Rochelle se développe surtout à partir du XII^e^ siècle et s'enrichit avec le commerce du vin et du sel. Puis ce port se fortifie et devient place forte. Le négoce international apporte beaucoup d'argent à la ville qui devient, vers le milieu du XV^e^ siècle, un des premiers centres bancaires de France. Au XVI^e^ siècle, La Rochelle arme pour les terres lointaines, de l'Afrique aux Caraïbes.

*Page de droite : port de La Rochelle.*

*Église romane d'Échillais.*

*Tour Saint-Nicolas (XIVe), à gauche, et tour de la Chaîne (XIVe), à droite.*

En 1568, La Rochelle devient une cité huguenote et bientôt la place forte du protestantisme, une sorte de « Genève française » comme on le lit partout. Il s'ensuit une série d'événements tragiques, dont le siège par Richelieu, qui dure 416 jours. Le port redeviendra peu à peu un des tout premiers de la côte atlantique, très actif, en particulier, avec l'Amérique du Nord. Un relatif appauvrissement est noté au XVIIIe siècle, mais l'arrivée du chemin de fer et la création de La Pallice, au XIXe, vont relancer ses activités. En 1945, la « poche de La Rochelle » — où se sont réfugiées des armées allemandes — donne lieu à un nouveau siège.

Aujourd'hui, La Rochelle reste un des tout premiers ports français, un des tout premiers ports de plaisance d'Europe, mais aussi une capitale culturelle et touristique de tout premier ordre, avec de nombreux congrès et festivals, une bonne dizaine de musées et un patrimoine urbain à tous égards exceptionnel. Même le visiteur le plus pressé se doit de passer au moins une journée dans la ville, d'y flâner sous les arcades et dans les rues piétonnières et d'y humer l'air du large.

On peut, par exemple, commencer la visite par la **porte des Deux-Moulins** (XVIIIe), à l'ouest du Vieux Port, c'est-à-dire, en fait, près de ce qui fut sans doute le site primitif de la

*Ci-contre, en haut : vitrail de la cathédrale.*
*Ci-contre, en bas : tour Saint-Nicolas.*

cité. Cette porte est située à proximité du **parc Charruyer** et du **Mail**, très fréquentés. La **préfecture**, au nord, est dans le très bel hôtel Poupet (1785).

Un peu plus à l'est, nous découvrons la **tour de la Lanterne** (XV^e^), surmontée d'une flèche pyramidale et la **tour de la Chaîne** (XIV^e^), où l'on verra, dans une salle, un plan-relief de la ville. En face se dresse la haute **tour Saint-Nicolas** (fin XIV^e^), qui culmine à 36 mètres. Ces trois tours commandaient l'entrée du Vieux Port.

Par le cours des Dames, on atteint la **maison de la Culture** située dans un ancien couvent des carmes (portail du

*La Rochelle.*

*Rue Chaudrier : arcades (XVIIe-XVIIIe).*

XVIIe) et le **musée Grévin**, qui illustre, de manière très vivante, les principaux chapitres de l'histoire de La Rochelle. La **porte de la Grosse-Horloge** (sans doute née au XIIIe, mais remaniée du XVe au XVIIIe), qui faisait jadis partie de l'enceinte fortifiée, recèle un musée archéologique. Ceux qui ont du nez pourront en profiter pour se rendre, rue du Temple, au **musée du Flacon-à-Parfum**.

L'**église Saint-Sauveur** (1718) conserve quelques éléments de sanctuaires antérieurs, dont un beau clocher gothique du XVe. La rue Saint-Sauveur et la rue Bletterie, par exemple, ont conservé de belles maisons à colombages et à pans de bois. Rue Saint-Michel, on visitera le **Musée protestant**, situé dans le temple construit au début du XVIIIe siècle. C'est une halte obligée dans l'ancienne place forte du protestantisme.

L'**hôtel de ville**, à proximité, est constitué d'éléments divers, datés du XVe au XIXe. Retenons-en son enceinte gothique (fin XVe), la cour intérieure Renaissance avec façade Henri-IV et sa belle galerie ouverte.

La **rue des Merciers**, avec ses galeries et ses belles demeures des XVIe-XVIIe, est une des plus intéressantes de la ville. À distance raisonnable se trouvent, au nord, quatre autres musées : le **musée rochelais de la Dernière-Guerre**, rue des Dames ; le **musée du Nouveau-Monde**, rue Fleuriau, consacré, comme son nom l'indique, aux relations de La Rochelle avec l'Amérique du Nord et les Caraïbes ; le **musée des Beaux-Arts**, rue Gargoulleau, intéressera les amateurs de peinture (on y trouvera des toiles d'Eugène Fromentin, plus connu comme écrivain). Le **musée d'Histoire naturelle**, plus

*Hôtel de ville : cour intérieure.*

*Cathédrale Saint-Louis (XVIIIe).*

*Maison Henri-II (XVIe).*

*Porte de la Grosse-Horloge.*

au nord, près du jardin des plantes, est particulièrement riche (coquillages, océanographie, art primitif ; reconstitution du cabinet d'un collectionneur célèbre, Lafaille). De là, nous pouvons redescendre vers la cathédrale.

La sévère **cathédrale Saint-Louis** date de 1742 (clocher du XVe). Noter à l'intérieur les peintures du peintre rochelais William Bouguereau (1825-1905). Tout à côté, le clocher Saint-Barthélemy, esseulé, est du XVe. À proximité, la **rue Chaudrier** est connue pour ses arcades (XVIIe-XVIIIe).

Nous pouvons terminer une première visite de La Rochelle en saluant un certain nombre de demeures anciennes très intéressantes, par exemple le **musée d'Orbigny-Bernon** (hôtel du XIXe), rue Saint-Côme, dont une des peintures est la très célèbre représentation de Richelieu à La Rochelle par Henri Motte. La **maison de Nicolas Venette** (XVIIe) a une façade décorée de bustes. Noter encore la **maison Henri-II**, rue des Augustins, qui date de 1555 (à l'intérieur, collections de la Société d'archéologie et d'histoire de l'Aunis). Le **palais de justice** (1789) possède une façade corinthienne.

Mais les amateurs de musées ne sont jamais rassasiés. Ils en trouveront d'autres, qu'ils se rassurent ! Ils pourront visiter le **musée maritime** de La Rochelle, dans le bassin à flot au sud de la tour Saint-Nicolas (cette belle frégate, le *France I*, fut en service dans l'Atlantique de 1959 à 1985 et servait pour la météo). À La Ville-en-Bois, dans le même quartier, il y a aussi un **musée des Automates** et un **musée des Modèles réduits**. Et il ne faut pas oublier, au port des Minimes, le **Musée océanographique** et le remarquable **aquarium**. Depuis 1988, La Pallice est reliée à l'île de Ré par un pont de 3 200 mètres.

La Rochelle est la ville natale de René Antoine Ferchault de Réaumur (1683-1757) connu, entre autres travaux, pour son thermomètre à alcool. L'écrivain Eugène Fromentin (1820-1876), un peu oublié aujourd'hui, était né à La Rochelle. Il voyagea beaucoup en Afrique du Nord, dont il ramena des tableaux et des sujets de livres. Son œuvre littéraire comprend *Un été dans le Sahara* (1856), *Une année dans le Sahel* (1858) et, surtout, son roman *Dominique* (1862), son chef-d'œuvre, histoire d'un amour impossible dont le cadre est l'Aunis.

À **La Jarne**, au sud-est de La Rochelle, on pourra visiter le **château de Buzay** (1771), construit par un riche armateur de La Rochelle.

## ROYAN

*Au sud-ouest de Saintes*

Pendant des siècles, Royan fut un port de quelque importance. Sa position stratégique sur l'estuaire de la Gironde et, plus encore, son ralliement à la cause des protestants lui attirèrent beaucoup de désagréments au fil des siècles. Devenue station balnéaire au début du XIXe siècle, elle pouvait espérer

couler des jours heureux sur son front de mer. Il n'en fut rien : la ville fut bombardée « par erreur » en 1945. Il y eut plus de 500 morts.

Il fallut donc reconstruire Royan. Les amateurs d'art classique seront ici déçus. Tout juste reste-t-il l'église Saint-Pierre (fin XIe-début XIIe), d'ailleurs très restaurée. Ceux qui aiment le béton et l'architecture contemporaine pourront aller admirer le palais des Congrès, le marché couvert, l'église du Parc ou l'église Notre-Dame (1958).

Au large, le **phare de Cordouan**, haut de 66 mètres, est le plus vieux du monde (fin XVIe-XVIIe).

## SABLONCEAUX

*À l'ouest de Saintes*

Créée au XIIe siècle, l'imposante **abbaye** de Sablonceaux — qui a eu beaucoup à souffrir au fil des ans — possède encore son importante **abbatiale**, remarquablement restaurée : très haut clocher du XIIIe à trois étages, nef romane, chœur gothique... Les **bâtiments claustraux** sont à proximité (salle capitulaire, ancien logis abbatial, celliers...).

Au sud-est près de **Saint-Romain-de-Benet** (église romane), on verra l'étonnante **tour de Pirelongue** (24 mètres de haut), sans aucun doute gallo-romaine, mais dont l'utilisation reste mystérieuse.

*Page de droite : abbatiale de Sablonceaux.*

*L'église Notre-Dame de Royan (1958) a été construite en béton armé.*

*Port de Royan.*

## SAINTES

*Au sud-est de Rochefort*

Le patrimoine culturel de Saintes, attachante capitale de la Saintonge, est exceptionnel par sa qualité mais aussi par sa diversité puisqu'il couvre une période de quelque 2 000 ans. Son nom vient d'une tribu gauloise, les Santons, dont on sait peu de choses. La véritable naissance de la ville est liée à la voie romaine qui, partant de Lyon, filait vers l'Aquitaine. Du Ier au IIIe siècle de notre ère, Saintes (Mediolanum) fut une des grandes villes de l'Empire. Il en reste d'impressionnants témoignages. Puis, au Moyen Âge, Saintes fut une étape importante sur la route de Compostelle. Par la suite, elle eut beaucoup à souffrir de la guerre de Cent Ans et des guerres de Religion.

On peut commercer la visite par le **musée de la Préhistoire**, avenue Gambetta, dans la partie est de Saintes, à proximité de la gare SNCF. Il n'est pas interdit de visiter, dans le même quartier, le **musée du Folklore et Traditions populaires** puis de saluer l'église Saint-Pallais (XIIe-XIIIe), qui a beaucoup souffert.

Puis le visiteur atteint l'**Abbaye-aux-Dames**, une des belles églises romanes de France. Le monastère bénédictin accueillait jadis de nombreuses jeunes filles de l'aristocratie. L'église, terminée en 1047 puis remaniée au XIIe siècle, a certes subi bien des avanies, mais sa restauration est une réussite.

Les spécialistes considèrent que sa **façade** est une des plus riches de France. Le portail, en particulier, est d'une qualité décorative exceptionnelle (voussures séparées par des tores ciselés). Le **clocher** comporte une base octogonale à fenêtres géminées et un sommet cylindrique ; la flèche est couverte d'écailles. L'intérieur date, pour l'essentiel, des XIe et XIIe siècles.

À l'ouest, sur les bords de la Charente, on atteint le **Musée archéologique**, à proximité du beau jardin public. Il recèle de nombreux souvenirs de l'époque gallo-romaine : éléments architecturaux, sculptures, stèles... Noter le bloc sculpté des quatre légionnaires et la tête de l'empereur Auguste.

Un peu plus au nord se dresse l'impressionnant **arc de Germanicus**, qui date du Ier siècle. Les Romains le construisirent pour commémorer l'achèvement de la voie romaine.

*Abbaye-aux-Dames (XIe-XIIe).*

*Ci-dessous : détail de sculptures.*

Il suffit alors de traverser la passerelle pour atteindre la **place des Récollets** (vestiges du rempart gallo-romain du IIIe siècle), la **rue Saint-Michel** (demeures des XVIIe et XVIIIe) et la **cathédrale Saint-Pierre** (XVe, remaniée). On notera le haut clocher de 72 mètres, qui domine la cité, et la façade de style gothique flamboyant. À l'intérieur du sanctuaire, escalier à vis (XVe) dans le collatéral gauche. À proximité, vestiges d'un cloître (XIIIe-XVe) et d'une salle capitulaire.

Nous sommes ici dans le quartier Saint-Pierre, que dominent les collines de la Providence et de l'Hôpital. C'est une zone piétonnière, riche en demeures anciennes et en musées divers. Le **musée des Beaux-Arts**, rue Victor-Hugo — plaisante rue piétonnière qui fut l'artère centrale de la ville —, est situé dans l'hôtel du Présidial (XVIIe) ; il abrite de riches collections de peintures, de sanguines, de mobilier et de faïences. Une annexe se trouve dans le **musée de l'Échevinage**, tout près ; on y trouve surtout des peintures des XIXe et XXe siècles. La **bibliothèque** est installée dans l'hôtel Martineau (XIXe). De la **terrasse** de l'hôpital, créé au XVIIe, on découvre un magnifique panorama sur la ville.

Plus au sud, de nouveau sur les bords de la Charente, l'hôtel de Monconseil (XVIIIe) abrite le **musée régional Dupuy-Mestreau** (costumes, bijoux, faïences).

Au sud-ouest, l'**église Saint-Eutrope**, consacrée en 1096, fut construite pour recevoir les pèlerins de Compostelle et les chrétiens qui vouaient un culte à saint Eutrope, un des évangélisateurs de la Gaule. Le **clocher** carré culmine à 60 mètres. L'intérieur de l'église a beaucoup souffert, surtout au XIXe siècle quand le préfet décida de faire démolir la nef. Du moins a-t-elle conservé une **crypte** (ou église basse), qui est un des

*Arc de Germanicus (Ier siècle). Il fut déplacé et reconstruit pierre par pierre vers 1845.*

*Cathédrale Saint-Pierre (XVe).*

*Ci-dessous : chapiteau de Saint-Eutrope, le Pèsement des âmes (XIIe).*

chefs-d'œuvre de l'architecture française ; les **chapiteaux** de sa nef sont d'une facture exceptionnelle. On retrouvera d'autres chapiteaux (début XIIe), très décorés, à la croisée du transept de l'église haute.

De Saint-Eutrope, on gagne les **arènes** (début du Ier siècle) qui, selon les spécialistes, pouvaient accueillir quelque 20 000 personnes. Bien qu'elles aient beaucoup souffert depuis 2 000 ans, elles ont encore une certaine allure. Les **thermes** de Saint-Saloire (fin du Ier siècle), dans le quartier de Saint-Vivien, se trouvent plus au nord Deux humanistes — dans des genres différents — eurent partie liée avec Saintes : Bernard Palissy (né vers 1510, peut-être à Saintes, mort à la Bastille en 1589) qui fut verrier à

Saintes et chercha à découvrir le secret de la composition des émaux ; le docteur Joseph Guillotin (1738-1814), qui préconisa l'utilisation de la « guillotine », instrument dont il n'était pas l'inventeur.

Aux environs, on pourra voir, au nord, le **château du Douhet**, élégante demeure classique du XVIIe, et l'église d'**Écoyeux** (XIVe) avec ses deux échauguettes du XVe. À l'ouest,

*Quai de la Charente.*

*Arènes de Saintes (I$^{er}$ siècle). À gauche, église Saint-Eutrope.*

l'église Saint-Nazaire de **Corme-Royal** possède une remarquable façade romane.

Au sud-ouest, l'église romane de **Rétaud** est intéressante, comme l'est celle de **Rioux** dont le chevet est richement décoré.

À l'est, près de Saint-Bris-des-Bois, l'**abbaye de Fontdouce** (XII$^{e}$-XIII$^{e}$, remaniée et restaurée) conserve quelques vestiges intéressants, dont une salle capitulaire. Au sud-est, **Chaniers** possède une belle église romane (remaniée).

*Château du Douhet (XVII$^{e}$). Les plans d'eau sont alimentés par un aqueduc gallo-romain du I$^{er}$ siècle.*

## SAINT-JEAN-D'ANGÉLY

*Au nord-est de Saintes*

La ville fut gallo-romaine et porta le nom d'Angeriacum (qui, déformé, devint Angély). Au Moyen Âge, ce fut une étape importante sur la route de Compostelle, d'autant plus appréciée des fidèles que l'abbaye possédait une très précieuse relique : le chef (crâne) de saint Jean-Baptiste ! Puis Saint-Jean-d'Angély devint

*Salle capitulaire de l'abbaye de Fontdouce.*

*Fontaine du Pilori (XVI^e^).*

*Tour de l'Horloge (XV^e^).*

une ville protestante. La ville aujourd'hui reste assez pittoresque et possède de nombreuses maisons anciennes (maisons à pans et à colombages), ainsi que de beaux bâtiments des XVIII^e^ et XIX^e^ comme l'hôtel de ville (1886) de style Renaissance.

Le monument le plus connu est la **tour de l'Horloge**, qui est en fait une réutilisation (1406) des portes de la ville. À proximité, maisons à pans de bois et **hôtel de l'Échevinage** (fin XIV^e^).

La **fontaine du Pilori** (1546) a voyagé puisqu'elle provient des ruines du château de Brizambourg, d'où elle fut transportée en 1819.

Ce qu'on appelle ici « **les Tours** » sont les vestiges d'une église abbatiale inachevée (XVIII^e^). Les **bâtiments conventuels** (XVII^e^) accueillent aujourd'hui la bibliothèque et un centre culturel.

Dans le **musée**, on verra des collections archéologiques et — ce qui est plus inattendu — des documents liés aux fameuses missions Citroën en Afrique (1924-1925) et en Asie (Croisière jaune, 1931-1932). Un des chefs de ces missions était Audouin-Dubreuil, originaire de Saint-Jean-d'Angély.

*« Tours » de Saint-Jean-d'Angély (XVIII^e^).*

*Portail roman de Varaize.*

*Chapiteau de Varaize.*

Aux environs, voir à l'est le beau portail roman de **Varaize** et, au sud, l'église romane (portail du XIIe) de **Fénioux** et sa superbe lanterne des morts (également du XIIe). Au sud-est, **Matha** possède une porte fortifiée et deux églises d'origine romane (Saint-Hérié et Saint-Pierre-de-Marestay).

## SURGÈRES

*Au nord-est de Rochefort*

Campée sur les bords de la Gères, la ville se trouvait jadis à un point stratégique de communication entre l'Aunis et le Poitou. D'où l'importante enceinte fortifiée qui y fut construite. Démantelée au XVe siècle, elle fut remontée au siècle sui-

*Surgères.*

vant. Les temps ont bien changé, puisque Surgères est aujourd'hui connue comme une des capitales de l'industrie laitière. C'est d'ailleurs ici que fut créée la première coopérative laitière du pays.

Bien qu'elle ne soit pas très élevée, l'**enceinte polygonale fortifiée**, jadis protégée par un double cordon de douves, est digne d'intérêt. Flanquée de tours en partie dérasées, elle s'étire sur 600 mètres. Le châtelet est du XVIe siècle.

L'**église Notre-Dame** (restaurée) est un sanctuaire roman avec une belle façade à arcades (noter, à l'étage supérieur, les figures équestres en haut relief). Le clocher octogonal à colonnettes a été remanié au XIXe. L'intérieur possède des éléments romans et gothiques. Crypte du XIIe.

À proximité, la bibliothèque est située dans l'ancienne **intendance** (XVIIIe). Sans doute y lit-on souvent Pierre de Ronsard, ou du moins ses *Sonnets pour Hélène* (1578), puisqu'il s'agit d'Hélène de Surgères (« Quand vous serez bien vieille, au soir, à la chandelle... »). Comme il est de règle, le poète valait mieux que la femme qu'il célébrait.

Ceux qui, justement, s'intéressent aux papillons pourront visiter le **musée d'Histoire naturelle**, qui en possède de très belles collections.

*Fortifications de Surgères.*

Pour ne pas quitter la nature humaine, on peut se rendre à **Tonnay-Boutonne**, à l'ouest de Surgères. Selon la tradition, c'est ici qu'habitait le méchant Ganelon qui, à Roncevaux, trahit le preux Roland. Charlemagne vint l'y rejoindre et le fit jeter dans un puits. Le donjon de Ganelon a disparu, mais la ville conserve une belle porte du XIVe avec tours à mâchicoulis.

*Église romane de Surgères.*

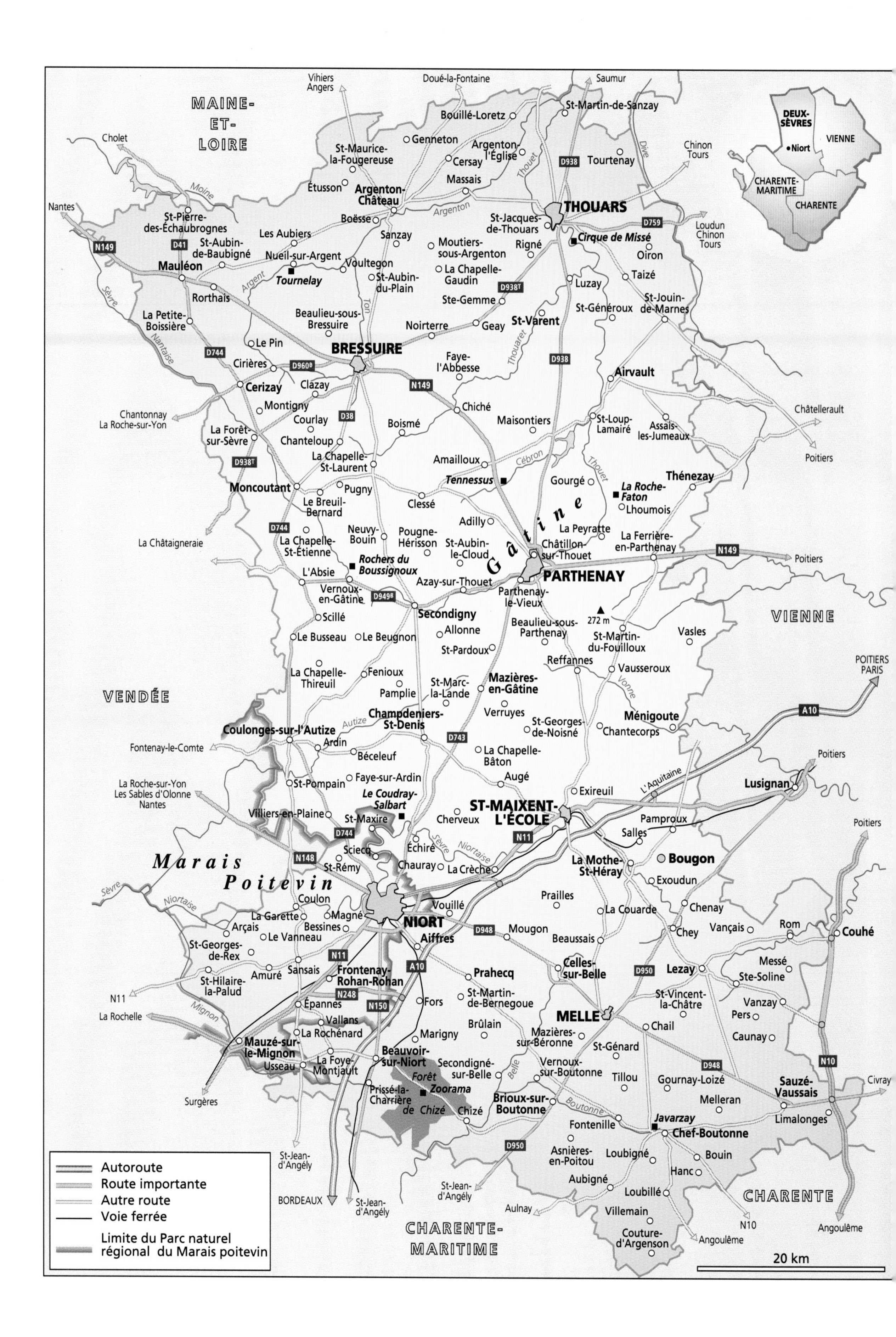

Vihiers
Angers
Doué-la-Fontaine
Saumur
MAINE-ET-LOIRE
Cholet
Bouillé-Loretz
St-Martin-de-Sanzay
Genneton
St-Maurice-la-Fougereuse
Argenton-l'Église
Cersay
Thouet
D938
Tourtenay
Dive
Chinon
Tours
DEUX-SÈVRES
Niort
VIENNE
CHARENTE-MARITIME
CHARENTE
Moine
Étusson
Argenton-Château
Massais
Nantes
St-Pierre-des-Échaubrognes
Boësse
Argenton
St-Jacques-de-Thouars
THOUARS
D759
Loudun
Chinon
Tours
N149
D41
St-Aubin-de-Baubigné
Les Aubiers
Sanzay
Moutiers-sous-Argenton
Rigné
Cirque de Missé
Oiron
Nueil-sur-Argent
Voultegon
La Chapelle-Gaudin
Mauléon
Argent
Tournelay
St-Aubin-du-Plain
D938T
Luzay
Taizé
Sèvre
Rorthais
Ste-Gemme
St-Jouin-de-Marnes
St-Généroux
La Petite-Boissière
Ton
Beaulieu-sous-Bressuire
Noirterre
Geay
St-Varent
Nantaise
Le Pin
BRESSUIRE
Thouaret
D938
D744
Cirières
D960B
Faye-l'Abbesse
Airvault
Cerizay
Clazay
N149
Chantonnay
La Roche-sur-Yon
Montigny
D38
Chiché
Châtellerault
Courlay
Boismé
Maisontiers
St-Loup-Lamairé
Assais-les-Jumeaux
La Forêt-sur-Sèvre
Chanteloup
Poitiers
D938T
La Chapelle-St-Laurent
Amailloux
Cébron
Thouet
Tennessus
Thénezay
Moncoutant
Pugny
Gourgé
La Roche-Faton
Le Breuil-Bernard
Clessé
Lhoumois
Gâtine
D744
Adilly
La Châtaigneraie
La Chapelle-St-Étienne
Neuvy-Bouin
Pougne-Hérisson
St-Aubin-le-Cloud
La Peyratte
La Ferrière-en-Parthenay
Châtillon-sur-Thouet
N149
Poitiers
Rochers du Boussignoux
L'Absie
PARTHENAY
Vernoux-en-Gâtine
D949B
Azay-sur-Thouet
Parthenay-le-Vieux
Secondigny
272 m
VIENNE
Scillé
Allonne
Beaulieu-sous-Parthenay
St-Martin-du-Fouilloux
Vasles
Le Busseau
Le Beugnon
St-Pardoux
Reffannes
POITIERS
PARIS
La Chapelle-Thireuil
Fenioux
St-Marc-la-Lande
Mazières-en-Gâtine
Vausseroux
Vonne
VENDÉE
Pamplie
Verruyes
A10
Champdeniers-St-Denis
Ménigoute
Autize
St-Georges-de-Noisné
Chantecorps
Coulonges-sur-l'Autize
Ardin
D743
Fontenay-le-Comte
Béceleuf
La Chapelle-Bâton
Poitiers
Augé
Faye-sur-Ardin
L'Aquitaine
Lusignan
St-Pompain
Exireuil
La Roche-sur-Yon
Les Sables d'Olonne
Nantes
Le Coudray-Salbart
ST-MAIXENT-L'ÉCOLE
Villiers-en-Plaine
Cherveux
Pamproux
Poitiers
St-Maxire
Salles
D744
N11
Échiré
Sèvre
Niortaise
Marais Poitevin
N148
Sciecq
La Mothe-St-Héray
Bougon
St-Rémy
Chauray
La Crèche
Exoudun
Sèvre
Niortaise
Coulon
Prailles
Vouillé
Chenay
La Garette
Magné
La Couarde
Arçais
Bessines
NIORT
Chey
Vançais
Rom
Couhé
Le Vanneau
Mougon
D948
Aiffres
Beaussais
St-Georges-de-Rex
N11
A10
Celles-sur-Belle
D950
Lezay
Messé
Ste-Soline
Sansais
Frontenay-Rohan-Rohan
Prahecq
St-Hilaire-la-Palud
Amuré
St-Vincent-la-Châtre
N11
N248
St-Martin-de-Bernegoue
Vanzay
Épannes
N150
Fors
MELLE
La Rochelle
Mignon
Pers
Vallans
Brûlain
Chail
Caunay
La Rochénard
Marigny
Mazières-sur-Béronne
Mauzé-sur-le-Mignon
St-Génard
D948
N10
Beauvoir-sur-Niort
Usseau
La Foye-Montjault
Secondigné-sur-Belle
Belle
Vernoux-sur-Boutonne
Tillou
Gournay-Loizé
Sauzé-Vaussais
Civray
Forêt de Chizé
Zoorama
Prissé-la-Charrière
Surgères
Brioux-sur-Boutonne
Melleran
Chizé
Boutonne
Javarzay
Limalonges
Fontenille
Chef-Boutonne
D950
Asnières-en-Poitou
Loubigné
Bouin
St-Jean-d'Angély
Hanc
Autoroute
Route importante
Autre route
Voie ferrée
Limite du Parc naturel régional du Marais poitevin
Aubigné
St-Jean-d'Angély
Loubillé
CHARENTE
BORDEAUX
St-Jean-d'Angély
Aulnay
Villemain
N10
Angoulême
CHARENTE-MARITIME
Couture-d'Argenson
Angoulême
20 km

# *De la Venise Verte aux bords de la Boutonne : les Deux-Sèvres, terre de panache*

*Parthenay-le-Vieux : détail d'une voussure (Constantin foulant l'hérésie sous les pieds de son cheval) sur la façade de la priorale Saint-Pierre.*

*Les* ***Deux-Sèvres*** *nous offrent la plus discrète partition du Poitou-Charentes, une humble musique de chambre. On respire ici la délicatesse d'un terroir ponctué de mines d'argent, d'églises mérovingiennes ou romanes, de châteaux médiévaux et de villes moyennes où il fait bon vivre. L'histoire a été marquée par le bruit des armes : guerres de Religion, Vendée militaire, école de Saint-Maixent. Mais, avec ses grands noms, le panache est cependant au rendez-vous, de Madame de Maintenon à La Rochejaquelein, en passant par René Caillié, le premier explorateur de Tombouctou.*

*Châteaux de Bressuire, campés sur un éperon rocheux.*

## AIRVAULT

*À l'est de Bressuire*

Le site d'Airvault — avec sa rivière et sa colline — est sans aucun doute d'occupation très ancienne. Des moines s'y installèrent à l'époque romane. Ils y élevèrent une abbaye mais aussi le superbe **pont de Vernay** (XIIe) sur le Thouet.

Du château fort, construit dès la fin du XIe, il reste des tours et une enceinte en ruines, ainsi qu'un gros donjon carré (XIVe). Dans la ville, on notera diverses maisons anciennes (voir notamment la rue de la Porte-à-Caillon).

L'**église Saint-Pierre**, ancienne chapelle de l'abbaye, date, pour l'essentiel, des environs de l'an 1100, mais elle a été remaniée au XIIIe. La façade (fin XIIe) comporte un narthex original. La nef principale recèle des chapiteaux romans variés. Dans le croisillon nord, tombeau de Pierre de Sainte-Fontaine (XIIe), un moine du Limousin.

À proximité du sanctuaire, vestiges d'un cloître gothique et entrée d'une salle capitulaire romane. Un **musée des Arts et Traditions du Poitou** incorpore d'autres vestiges de l'abbaye, mais on y trouvera aussi, bien sûr, divers objets et outils liés au Poitou.

Le voyageur peu pressé profitera de son passage à Airvault pour se promener le long des rives du Thouet, dont Jacqueline Jacoupy brossait naguère un portrait enchanteur : « Les longs peupliers au feuillage tendre, les eaux calmes mais bien vivantes encadrées de molles prairies, les vieux moulins croulants de Saint-Généroux lui font un décor des plus naturels. » Le **Saint-Généroux** dont parle l'écrivain se trouve au nord d'Airvault : la commune possède une église préromane (IXe et Xe, remaniée par la suite). C'est un des plus anciens sanctuaires du Poitou. Un pont ancien se trouve à proximité.

## ARGENTON-CHÂTEAU

*À l'ouest de Thouars*

Argenton-Château est d'abord et avant tout remarquable par son site : la ville est construite sur un éperon rocheux, au confluent de l'Ouère et de l'Argenton. Elle surplombe le **lac d'Hautibus**, serti dans l'écrin d'un vallon. On peut admirer le paysage depuis la terrasse de l'ancien château (vestiges). Les fortifications de la cité ont disparu, à l'exception de la porte Gaudin (XIVe).

Bressuire : église Notre-Dame.

Château de Coudray-Salbart (XIIIe).
Tours du Moulin, Grosse Tour et tour Saint-Michel.

L'**église Saint-Gilles** possède un beau portail roman saintongeais (XIIe). La chapelle castrale, désaffectée, recèle une rare fresque romane du XIe (Christ en majesté).

Il faut en profiter pour visiter à pied les environs, par exemple en empruntant, au nord, le chemin touristique de la Sablière, qui conduit au **pont Cadoret** (XIIIe).

Au sud d'Argenton-Château, le château de **Sanzay** est en ruines, mais son châtelet d'entrée du XVe est toujours en place.

Au sud-ouest, près des Aubiers, le château de **Tournelay**, construit vers 1850, est serti dans un vaste parc.

## BRESSUIRE

*Au nord-ouest de Parthenay*

Le site de Bressuire explique en grande partie son histoire : une vallée (le Dolo) et une colline. Les seigneurs du coin y construisirent un **château** au XIe siècle (enceinte circulaire) puis un second au XIIIe. De l'esplanade – qui comporte des bâtiments beaucoup plus récents dont un manoir néo-gothique du XIXe –, le visiteur peut admirer la cité aux toits de tuile sertie dans un paysage de verdure.

L'**église Notre-Dame**, dont les premières pierres furent posées à l'époque romane, date surtout du XVIe. Dès le XIIIe, en effet, le sanctuaire était ravagé par un incendie. Il reste cependant une belle nef d'un roman tardif (fin XIIe). On notera les motifs romans des chapiteaux. Le chœur du XVIe recèle de beaux vitraux. Le haut clocher date du XVIe, son lanternon du XVIIIe.

La ville est aujourd'hui connue pour ses marchés à bestiaux et son école des métiers de la viande (unique en France), ce qui s'explique par sa situation privilégiée au cœur du bocage vendéen. Ceux qui s'intéressent à l'histoire de la Révolution pourront arpenter la région de Bressuire pour tenter d'y croiser les fantômes des jeunes Vendéens — Chouans ou Républicains — qui s'affrontèrent ici, en un combat douteux. Le **manoir d'Henri de La Rochejaquelein** est d'ailleurs situé au nord de Bressuire, près de Voultegon (v. aussi Mauléon).

## CHÂTEAU DE COUDRAY-SALBART

*Au nord-est de Niort*

Situé sur la commune d'**Échiré**, le château de Coudray-Salbart est une des constructions les plus impressionnantes de la région. Son histoire est intimement liée à celle du Poitou et de la Saintonge. Il fut, au gré des événements, anglais ou français. Sa construction remonte au début du XIIIe.

Protégée par une douve, la forteresse comporte six tours puissantes avec chemin de ronde. La tour du Portal en constitue l'entrée principale.

## COULON

*À l'ouest de Niort*

Tous les guides le disent, et nous ne faillirons donc pas à la règle : Coulon est la « capitale de la Venise verte », entendez le Marais poitevin. Le patrimoine architectural de la ville est limité : une petite **église** romane, remaniée au XVe, et de simples maisons blanches, au demeurant pleines de charme. L'**aquarium de la Venise verte** constitue une excellente introduction à la flore et à la faune du Marais poitevin (v. à ce nom).

C'est à Coulon qu'il convient de s'embarquer sur une yole (barque) pour une excursion dans le marais. Le conseil que donnaient naguère Michel et Françoise Moine reste vrai : « S'il fait beau, n'hésitez surtout pas à choisir un long parcours, vous vous préparez un des meilleurs souvenirs de votre vie. » Les voyageurs moins intrépides préféreront s'arrêter dans un restaurant pour y goûter aux spécialités du coin, avec force anguilles, brochets et écrevisses, sans oublier les inévitables mojettes (haricots blancs).

De Coulon, on peut se rendre à **La Garette** (paysages, canaux) et à **Magné** (église romane).

## GÂTINE

Seuls les hommes politiques feignent de croire le contraire : un coup de crayon ne suffit pas à rayer de la carte une région naturelle. Il importe donc peu que la Gâtine n'apparaisse pas sur les documents administratifs : c'est une véritable entité, qui plonge ses racines dans une réalité géographique, une histoire commune, une vision du monde.

La Gâtine est la zone centrale des Deux-Sèvres, avec Parthenay comme seule grande ville. Son nom vient de l'ancien français *gast*, qui signifie désert, terre inculte (on retrouve la même racine indo-européenne dans l'anglais *waste* et l'allemand *Wüste*). Inculte, le pays ne l'est plus aujourd'hui puisqu'il est devenu, bien au contraire, un pays agricole. Les deux tiers de ses habitants, au moins, vivent de l'agriculture et de l'élevage.

La région constitue, en fait, l'extrémité sud-est du Massif armoricain, dont elle garde les altitudes peu élevées. La Gâtine culmine, avec une belle humilité, à 272 mètres (Terrier de Saint-Martin-du-Fouilloux), mais son relief est assez tourmenté et riche en cours d'eau. L'ensemble est séduisant et réserve au visiteur d'agréables surprises.

Parmi les curiosités naturelles, signalons les **rochers du Boussignoux** et le **Rocher branlant**, près de L'Absie (à l'ouest de Parthenay), où l'on pourra voir également l'ancienne église (XVe) d'une abbaye bénédictine. La Gâtine est surtout très riche en petites églises romanes. Noter aussi la très belle façade gothique (XVIe) de **Saint-Marc-la-Lande** (sud-ouest de Parthenay).

*Coulon et ses yoles.*

## MARAIS POITEVIN

*À l'ouest de Niort*

Si l'on s'en tient au découpage administratif de la France, qui ne s'appuie guère sur les réalités naturelles et historiques, le Marais poitevin, malgré son nom, appartient surtout aux Pays de Loire et non au Poitou, à l'exception de son extrémité orientale, située dans les Deux-Sèvres, et de sa petite portion charentaise (v. en Charente-Maritime, Marans).

Aujourd'hui parc naturel régional, le Marais poitevin est un ensemble impressionnant de 80 000 à 90 000 hectares. Il s'étire de la côte atlantique, à l'ouest, pour venir mourir aux portes de Niort, à l'est. Il est commun à trois départements : la Vendée (pour l'essentiel), la Charente-Maritime (pour l'anse d'Aiguillon et la côte) et les Deux-Sèvres (Venise verte).

Son existence est d'abord due, bien sûr, à une longue évolution sur plusieurs millénaires. À l'ère secondaire, la mer recouvre la région. Puis celle-ci se retire, tandis que l'érosion fait son œuvre et abaisse l'altitude. Un réchauffement des océans, il y a quelque 8 000 ans, amène le retour de l'eau et crée finalement ce vaste marécage.

Mais la géographie n'explique pas tout. Les hommes, depuis 2 000 ans, ont œuvré pour corriger la nature, élevant des digues et créant des canaux. Au Moyen Âge, par exemple, les moines furent très actifs à cet égard. À l'époque d'Henri IV, d'importants travaux d'assèchement et de poldérisation furent effectués, avec l'aide des Hollandais, experts en la matière. Tant et si bien que la région comprend, en fait, deux zones distinctes : les Marais desséchés, qui ne sont plus inondables, et les Marais mouillés, parcourus par un labyrinthe de canaux. Et, dès lors, il convient même de distinguer deux types d'habitants : les Marouins, dans les Marais desséchés, et les Maraîchins, dans les zones mouillées, dont fait partie la Venise verte.

*Ci-dessous et pages suivantes : à la découverte du Marais poitevin...*

*Melle : église Saint-Savinien.*

Il y a d'ailleurs tout un lexique local, qui fera la joie des amateurs de dialectes. L'économie est évidemment liée à la réalité physique : élevage, agriculture, pêche… et tourisme. Cette superbe région fascinera les visiteurs en quête de tranquillité loin du tohu-bohu de la vie urbaine, mais aussi tous ceux qui s'intéressent à la flore et à la faune. La région est, en particulier, très riche pour ses oiseaux.

Pour les Deux-Sèvres, on se rendra à Coulon (v. à ce nom), mais aussi à **Saint-Georges-de-Rex**, **Arçais** (chemin de halage de la Garenne) et **Saint-Hilaire-la-Palud**.

Au sud de Saint-Hilaire, **Mauzé-sur-le-Mignon** a vu naître l'explorateur René Caillié (v. La Roche-Courbon, Charente-Maritime), dont le père boulanger avait été condamné aux travaux forcés.

## MAULÉON

*Au nord-ouest de Bressuire*

Construit sur une hauteur dominant la vallée de l'Ouin, Mauléon n'a plus que quelques vestiges — dont une porte — de son ancienne enceinte fortifiée. Le **musée**, particulièrement riche, est situé dans l'ancienne abbaye de la Trinité (ses roches gravées de la préhistoire sont intéressantes). L'église du XIXe a conservé le **porche** roman de l'ancienne abbaye.

Mauléon, qui s'appelait alors Châtillon-sur-Sèvre, fut en 1793 la capitale de la Vendée militaire. Henri de La Rochejaquelein (1772-1794), un des grands chefs de l'insurrection vendéenne, naquit d'ailleurs au nord-est de Mauléon, au château de la Durbelière, en ruines depuis la Révolution.

## MELLE

*Au sud-est de Niort*

La petite ville de Melle, située sur les rives de la Béronne, est d'implantation ancienne, comme en témoigne la grotte de Loubeau, abri de l'époque préhistorique. Puis des mines de plomb argentifère firent de la cité un des grands centres monétaires du royaume de France (on verra la collection des monnaies de Melle dans le musée du Pilori, à Niort). Située sur le chemin de Saint-Jacques-de-Compostelle, Melle reçut, pendant des siècles, de nombreux pèlerins. Elle s'éloigna du catholicisme à l'époque de la Réforme. La révocation de l'édit de Nantes sonna son relatif déclin. Il ne lui restait plus qu'à se tourner vers l'élevage des baudets du Poitou, connus pour leur résistance exceptionnelle (et exportés dans des pays lointains, comme l'Inde). Leur élevage ici était lié aux travaux d'assèchement et d'aménagement du Marais poitevin, où les baudets rendirent d'inestimables services.

La richesse du patrimoine de Melle est exceptionnelle et attira l'attention toute particulière de Prosper Mérimée, à l'époque où il était inspecteur général des monuments historiques. Il ne reste plus que quelques vestiges de l'ancien château dans le **Vieux Melle**, dont les rues étroites portent encore des noms amusants du Moyen Âge (comme Tire-Boudin), mais la cité possède trois églises intéressantes.

La plus remarquable est l'**église Saint-Hilaire** (XIIe), dont la tour carrée avec ses fenêtres à colonnettes surplombe les rouges toits en dégradé des absides, du déambulatoire et du chœur. Le portail nord est le plus original avec ses voussures à palmettes et sa niche qui recèle la statue équestre d'un personnage (noter un petit personnage aux pieds avant de l'animal).

*Saint-Hilaire de Melle.*

*Saint-Savinien : détail. Ci-contre : église Saint-Hilaire (XIIe) à Melle.*

*Ilot Saint-Jean à Niort.*

Cette scène, qui n'est d'ailleurs pas unique dans la région, n'a pas reçu d'explication définitive. La nef comporte de très beaux chapiteaux et un portail décoré (bas-côté droit). On trouvera d'autres chapiteaux historiés dans le déambulatoire.

L'**église Saint-Pierre** (milieu XIIe) possède un beau portail sud avec porte à trois voussures, corniche décorée et niche à personnages (dont un Christ mutilé pendant les guerres de Religion). À l'intérieur, noter divers chapiteaux historiés (dont une Mise au Tombeau).

Plus simple — il y a une seule nef —, l'**église Saint-Savinien** comporte une façade intéressante (tympan et sculptures en faible relief). À l'intérieur, tombeaux de deux magistrats, dont celui d'un certain Houliers dont s'inspira La Fontaine dans son conte *Le Juge de Melle*.

*Niort, de l'îlot Saint-Jean.*

Tout près, on verra aussi l'ancien **hôtel de Ménoc** (palais de justice), avec ses deux tours du XVe. Les environs immédiats de la ville sont riches, avec, par exemple, le **Chemin de la Découverte** (parcours botanique sur 5 kilomètres), divers lavoirs et fontaines et, bien sûr, les **Mines d'argent des rois Francs** (20 kilomètres de galeries sur plusieurs niveaux) qui datent, en fait, de l'époque romaine) et, tout près, le **jardin carolingien** (plantes médicinales).

À **Celles-sur-Belle**, au nord-ouest de Melle, l'église est pour l'essentiel une reconstruction du XVIIIe (avec quelques vestiges plus anciens, dont un portail roman). L'abbaye date de la même époque. Au sud, à **Chef-Boutonne**, le **château de Javarzay** (début XVIe), qui fut très important, comporte encore quelques beaux vestiges dont un imposant châtelet.

La **forêt de Chizé**, au sud-ouest de Melle, recèle un centre d'études biologiques consacré à l'étude de la reproduction animale (en particulier celle des mers australes). Le **Zoorama européen** est un parc animalier.

## NIORT

*Au sud-ouest de Parthenay*

C'est un gué sur la Sèvre qui a sans doute conduit les êtres humains à s'installer à cet endroit. Niort était déjà une cité de quelque importance pendant le haut Moyen Âge. Plus récem-

*Donjon de Niort.*

ment, elle fut, par deux fois, ville anglaise : au XIIe siècle, après le mariage d'Aliénor d'Aquitaine avec le futur Henri II d'Angleterre ; au XIVe, après le traité de Brétigny (par lequel Jean le Bon abandonnait l'Aquitaine à l'Angleterre). Favorable à la Réforme, Niort devint une ville huguenote, ce dont elle eut à souffrir après la révocation de l'édit de Nantes.

Dès l'époque romaine, la ville était connue pour ses activités de tannage du cuir et ses tissages de draps. Cette activité existait encore au XVIIIe siècle, quand Niort commerçait avec le Canada. Même si les industries du cuir n'ont pas disparu aujourd'hui, elles sont loin de constituer l'unique richesse de la cité, aujourd'hui considérée comme la capitale des mutuelles (la M.A.I.F., Mutuelle Assurance des Instituteurs de France, fut la première à s'y installer, en 1936). Son statut de préfecture des Deux-Sèvres fait également d'elle une ville administrative importante.

Dans le **Vieux Niort**, sur les bords de la Sèvre niortaise, on pourra voir le **donjon** roman (en réalité deux tours reliées par un corps de logis), remanié aux XVe et XVIIIe. Il accueille le **musée** fondé, en 1896, par la Société du costume poitevin. Cette structure reste fidèle à ses origines (costumes, coiffes,

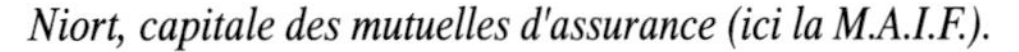

*Marché, près du donjon.*

*Niort, capitale des mutuelles d'assurance (ici la M.A.I.F.).*

*Église Notre-Dame de Niort : portail Nord.*

bijoux régionaux), même si plusieurs salles comportent également des collections archéologiques et numismatiques (monnaie de Melle, par exemple). En face du donjon, le **fort Foucault**, élevé sur une île, est un des vestiges de l'ancienne enceinte du château. Un peu plus au sud, **musée Arthur-Taire**, **musée des Beaux-Arts** et **musée d'Histoire naturelle**.

À proximité de ce dernier, l'**église Notre-Dame** (fin XVe-début XVIe, remaniée au XVIIIe) est un bel exemple d'art gothique, et son portail nord est très réussi. L'intérieur comporte des chapiteaux romans (XIIe), plusieurs tombeaux ou mausolées, peintures (surtout du XIXe) et tapisseries d'Aubusson (XVIIIe).

Au nord-est du donjon, au-delà de la place des Halles (marché couvert), on pourra voir le **logis de l'Hercule**, qui fut une auberge au Moyen Âge, le **Pilori** (XIVe-XVIe), ancien hôtel de ville transformé en musée archéologique et, un peu plus au nord, l'**église Saint-André**, reconstruite au milieu du XIXe dans le style du XIVe. On découvrira d'autres vestiges du passé au hasard des rues.

Pour se remettre d'une visite toujours un peu fatigante, il n'est pas interdit de s'arrêter dans un restaurant et d'y goûter un plat « à l'angélique » (plante aromatique cultivée dans les marais, jadis considérée comme médicinale et utilisée dans la prévention de la peste). Une liqueur, la sève d'angélique, est également célèbre — et jadis très coûteuse.

## OIRON

*Au sud-est de Thouars*

Oiron possède un des plus beaux châteaux de la Renaissance française. C'est Arthus Gouffier, chambellan de François Ier, qui le commença en 1518. Son fils Claude Caravaz poursuivit les travaux (Charles Perrault s'inspira de lui, en 1697, pour créer le marquis de Carabas, héros du *Chat*

*Château d'Oiron (XVIe-XVIIe).*

*Parthenay.*

*botté*). Leurs descendants ne cessèrent d'améliorer sa décoration intérieure. Madame de Montespan, d'ailleurs née à Lussac-les-Châteaux (Vienne), vécut dans ce château à l'automne de sa vie. Il est aujourd'hui la propriété de l'État.

L'**aile Renaissance** (sur la gauche) est la plus belle et la plus ancienne du château, avec sa majestueuse galerie à arcades. Le corps de logis principal et l'aile droite sont du XVII^e^. De la terrasse, belle vue sur la région.

La **décoration intérieure** est exceptionnelle. La salle des Gardes est ornée de quatorze fresques (1549) de Noël Jallier, qui représentent des scènes inspirées de *L'Enéide*. Toutes les pièces sont un ravissement : salle des fêtes (plafond peint du XVII^e^), chambre du roi (plafond Louis XIII) et cabinet des muses (boiseries, peintures)...

L'actuelle **église** d'Oiron est l'ancienne chapelle du château. Ce sanctuaire du XVI^e^ est surtout connu pour ses deux portes latérales, ses remarquables tombeaux de la famille Gouffier mais aussi pour son retable du maître-autel, son mobilier et ses peintures.

## PARTHENAY

*Au nord-est de Niort*

Cette petite ville, lovée dans les méandres du Thouet, est une des plus séduisantes de la région. Heureusement située sur le chemin de Compostelle, elle reçoit, pendant des siècles, de nombreux pèlerins. Son puissant château est le décor de bien des batailles, mais Richelieu le fait raser en 1632. Ville catholique, elle est occupée par les protestants pendant les guerres de Religion puis par les Républicains lors de la Révolution. Elle demeurera longtemps la capitale de la Gâtine (v. à ce nom), pour devenir un centre d'élevage, ce qu'il est resté. Parthenay caracole aujourd'hui à la seconde place du marché de la viande en France.

Porte Saint-Jacques.

Église Sainte-Croix : gisant (XVe).

Notre-Dame-de-la-Couldre : portail roman (XIIe).

La vieille ville, avec ses rues étroites, semble bâtie à la diable, mais elle a beaucoup de charme. C'est par l'impressionnante **porte Saint-Jacques** (XIIIe ?), au nord, qu'entraient les pèlerins sur le chemin de Compostelle. On verra des maisons anciennes (XIVe-XVIe) rue de la Vau-Saint-Jacques. Un peu plus à l'ouest, la place du Château constitue un agréable belvédère sur le Thouet. L'essentiel de la forteresse a disparu, mais trois **tours** du XIIIe sont toujours au rendez-vous.

Très endommagée au cours des siècles, **Notre-Dame de la Couldre** conserve un beau portail roman du XIIe. Par la rue de la Citadelle, qui possède quelques maisons du XVe, on gagne l'**église Sainte-Croix** (XIIIe, clocher du XVe) qui est, en fait, l'ancienne collégiale du château ; on y voit de remarquables gisants du XVe. La proche **porte de l'Horloge** est en partie du XIIIe. Petit **musée** à proximité.

L'**église Saint-Laurent** est surtout intéressante par une rarissime sculpture méplate (IXe) située sur la façade, qui représente les apôtres Pierre et Paul.

Par la route de Niort, au sud-ouest, on peut gagner le site primitif de la ville, **Parthenay-le-Vieux** où s'installa, à la fin du XIe siècle, un prieuré. La priorale Saint-Pierre possède une belle façade romane ornée de groupes sculptés. Une salle capitulaire prolonge le croisillon nord

Au nord-ouest de la ville, le **château de Thénessus**, en **Amailloux**, est impressionnant. Cerné de douves, l'ensemble (XIVe-XVIIe) comporte un donjon carré, deux tours circulaires au toit de tuiles et un pont-levis.

Les amateurs de châteaux pourront aussi aller saluer, au nord-est de Parthenay, le **château du Lhoumois**, à La Roche-Faton, en **Thénezay**, qui date du début XVe et du XVIe. La tour-porte est du XVe.

## SAINT-JOUIN-DE-MARNES

*Au sud-est de Thouars*

Un ermitage aurait été fondé ici par saint Jouin au début du IVe siècle. L'abbaye qui s'y installa quelques siècles plus tard prit son nom.

**L'église** abbatiale (fin XIe-XIIe, fortifiée au XVe) est impressionnante par ses dimensions. Sa riche façade est caractéristique de l'art roman du Poitou. À l'intérieur, on sera surpris par la longueur de la nef. Le chœur et une partie de la nef ont des voûtes gothiques angevines (XIIIe). Noter les chapiteaux du transept.

## SAINT-MAIXENT-L'ÉCOLE

*Au nord-est de Niort*

Le Rouge et le Noir... Les deux couleurs chères à Stendhal résument assez bien le destin de Saint-Maixent, à la fois marqué par l'Église (le Noir) et l'Armée (le Rouge). On y vénère toujours saint Agapit, l'ermite qui, au Ve siècle, vint s'installer sur les bords de la rivière mais aussi saint Léger, abbé de l'abbaye de Saint-Maixent avant de devenir évêque d'Autun. Et personne n'a oublié Pierre Denfert-Rochereau (1823-1878), né à Saint-Maixent, qui s'illustra en Crimée, en Algérie et, plus encore, comme gouverneur de Belfort en 1870-1871. Quelques années plus tard, en 1879, une école militaire s'installait dans sa ville natale. Le nom de la commune, d'ailleurs, n'oublie aucun des deux aspects de la cité, beaucoup plus intéressante qu'il n'y paraît à première vue. Comme l'écrit Jacqueline Jacoupy, « pour la mieux comprendre et pour l'aimer, il faut monter sur les coteaux qui la dominent, aller vers la cascade d'Exireuil, la regarder de très haut, la voir se détacher de son cercle de forêts dont les arbres autrefois baignaient leurs branches basses dans les eaux de la Sèvre ».

Au Moyen Âge, la ville se développe autour d'une abbaye bénédictine. De nombreux pèlerins viennent alors se recueillir sur les tombeaux de deux saints alors fort réputés, Léger et Maixent. Les moines abandonnent le site lors des invasions normandes, mais ils reviennent sur les lieux et y bâtissent une nouvelle église. À deux reprises, en 1562 et 1568, les huguenots vont la dévaster. Elle sera reconstruite dans la seconde partie du XVIIe siècle.

La ville comporte divers souvenirs du passé, par exemple la **maison de l'Apothicaire** (milieu XVe), à l'ouest de l'abbaye, ou la demeure à arcades (1470), place du Marché. La **porte Chalon**, au nord-ouest, avec ses deux pavillons carrés, date de 1762. À proximité, l'**hôtel de Balizy** (palais de justice) est Renaissance (XVIe). Un peu plus à l'est, l'**hôtel de ville** est une belle construction des XVIe et XVIIe.

L'ancienne abbaye comporte encore des **bâtiments abbatiaux** avec un portail de 1660. Le clocher (XVe) de l'**église** est, à l'évidence, gothique, mais le sanctuaire recèle quelques vestiges romans des XIe et XIIe, y compris quelques beaux chapiteaux. Le transept (XIIIe) est représentatif du style gothique angevin. La crypte du VIIe, située sous le chœur, portée par des colonnes romanes, a été largement refaite au XVIIe ; on y voit les tombeaux vides des saints Maixent et Léger.

Aujourd'hui, la ville est d'abord et avant tout associée à la présence d'une école militaire, installée ici depuis 1879. Elle regorge donc de bâtiments, statues et souvenirs de caractère militaire. Le **Musée militaire**, au nord-est de la cité, est particulièrement riche. Il se compose, en fait, de trois parties : le musée du souvenir, le musée du 114e R.I., et le musée national des sous-officiers de l'armée de terre.

*La porte Chalon (XVIIIe) est une construction du comte de Blossac, intendant du Poitou de 1751 à 1784.*

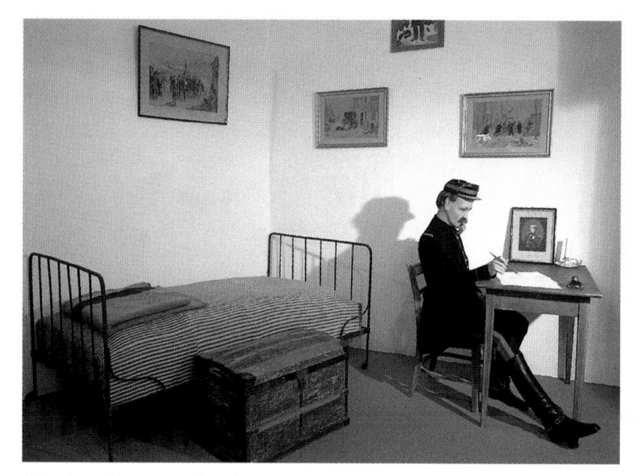

*Musée militaire : colonel Denfert-Rochereau.*

*Nécropole néolithique de Bougon.*

Les environs de Saint-Maixent sont également dignes d'intérêt. Au sud-est de la ville, **Bougon** recèle une rarissime **nécropole néolithique**, qui remonte à quelque 3 000 ans avant notre ère. Elle comprend six tumulus. À l'ouest, le **château de Cherveux** (fin XIIe, très restauré au XVe) est impressionnant. Cerné de douves, il possède un donjon quadrangulaire avec mâchicoulis et chemin de ronde.

## THOUARS

*Au nord de Parthenay*

Campée sur un promontoire qui, jadis, apparaissait comme « imprenable », Thouars occupa longtemps une position stratégique, à la frontière du Poitou, de l'Anjou et de la Touraine. En fait, c'est de **Saint-Jean-de-Thouars**, au sud, qu'on a un des meilleurs panoramas sur la ville, mais même à Thouars les beaux points de vue ne manquent pas : parc Imbert, chemin du Panorama, terrasse du Château et **pont Neuf**, en contrebas. Selon Jacqueline Jacoupy, la ville « ne révèle ses aimables caractères que si on la prend par la vallée du Thouet. C'est vers la rivière et ses trois ponts une dégringolade de maisons aux tuiles rousses, aux jardins en terrasses au-dessus desquels s'élèvent, sur un éperon rocheux, les restes très insignifiants d'un château féodal… ». C'est, en tout cas, la rivière qui a donné son nom à la ville. Telle qu'elle se trouve placée sur la carte de France, Thouars était condamnée à servir de décor aux passions politiques et religieuses des hommes. Elle tomba, selon les époques, dans l'escarcelle des rois de France ou d'Angleterre. Elle fut, selon les périodes, catholique ou protestante.

*Saint-Maixent : promenade des Allées-Vertes.*

*Site de Thouars, avec le Thouet, le château et la sainte-chapelle.*

Thouars est une ville attachante, qu'il convient de visiter à pas lents, en se laissant pénétrer par l'esprit des lieux. Au hasard des rues, on croise divers vestiges du Moyen Âge et de la Renaissance, par exemple l'hôtel des Trois-Rois (XV$^{e}$), la mairie (XVII$^{e}$), la tour du Prince-de-Galles (XIII$^{e}$) qui servit de prison, l'hôtel du président Tyndo avec sa tourelle d'escalier (XV$^{e}$), la massive porte au Prévost (XIII$^{e}$). Le pont des Chouans est du XV$^{e}$.

Le sobre **château** des ducs de La Trémoïlle (1635), qui furent les seigneurs du lieu, est un bâtiment classique aujourd'hui occupé par un lycée. La **sainte-chapelle** (1485), qui lui est contiguë, possède une façade Renaissance du début XV$^{e}$. La **terrasse** toute proche permet d'apprécier le site.

L'**église Saint-Médard** (XII$^{e}$-XV$^{e}$) est surtout remarquable par sa magnifique façade occidentale, bel exemple d'art roman riche en sculptures (frise des apôtres et des saints ; Christ en majesté entouré d'anges). L'**église Saint-Laon** possède un des plus beaux clochers romans de la région (XI$^{e}$). Le reste de l'édifice a été très remanié au XV$^{e}$ siècle. Noter, dans une des chapelles du sanctuaire, une Mise au Tombeau (XV$^{e}$).

Les environs immédiats mériteraient d'être mieux connus. Les visiteurs pourront se rendre, par exemple, à l'ouest à la **cascade de Pommiers** (dont le côté spectaculaire est, bien sûr, fonction de la mousson !) et aux **gorges de Ligron**. Au sud-est de Thouars, on gagne, par la route de Doret, le **cirque de Missé**.

**Tourtenay**, au nord-est, est creusée de caves (pigeonnier troglodytique). Sa petite église mérovingienne (VI$^{e}$-VII$^{e}$) est une des plus anciennes de France.

*Portail roman de l'église Saint-Médard.*

*Syndicat d'initiative de Thouars.*

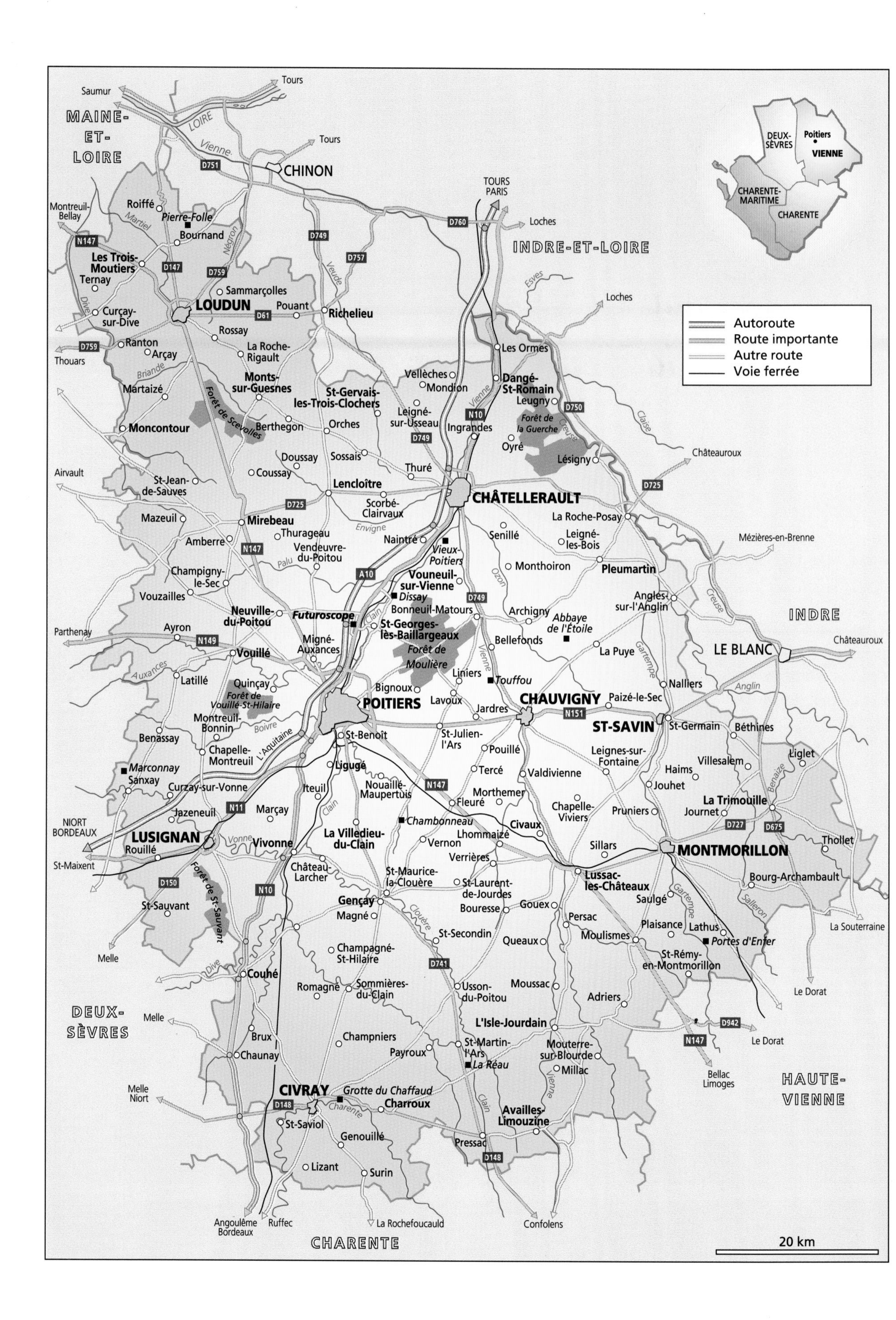

MAINE-ET-LOIRE
INDRE-ET-LOIRE
INDRE
HAUTE-VIENNE
CHARENTE
DEUX-SÈVRES
DEUX-SÈVRES
Poitiers
VIENNE
CHARENTE-MARITIME
CHARENTE
Autoroute
Route importante
Autre route
Voie ferrée
20 km
CHINON
LOUDUN
CHÂTELLERAULT
POITIERS
CHAUVIGNY
ST-SAVIN
MONTMORILLON
LUSIGNAN
CIVRAY
LE BLANC
Saumur
Tours
Tours
TOURS PARIS
Loches
Loches
Montreuil-Bellay
Thouars
Airvault
Parthenay
NIORT BORDEAUX
St-Maixent
Melle
Melle
Melle Niort
Angoulême Bordeaux
Ruffec
La Rochefoucauld
Confolens
Bellac Limoges
Le Dorat
Le Dorat
La Souterraine
Châteauroux
Châteauroux
Mézières-en-Brenne
Roiffé
Pierre-Folle
Bournand
Les Trois-Moutiers
Ternay
Sammarçolles
Pouant
Richelieu
Curçay-sur-Dive
Rossay
Ranton
Arçay
La Roche-Rigault
Monts-sur-Guesnes
Martaizé
Moncontour
Forêt de Scevolles
Berthegon
St-Gervais-les-Trois-Clochers
Orches
Vellèches
Mondion
Leigné-sur-Usseau
Ingrandes
Les Ormes
Dangé-St-Romain
Leugny
Forêt de la Guerche
Oyré
Lésigny
Doussay
Sossais
Coussay
Thuré
St-Jean-de-Sauves
Lencloître
Scorbé-Clairvaux
Mazeuil
Mirebeau
Thurageau
Amberre
Vendeuvre-du-Poitou
Naintré
Vieux-Poitiers
Senillé
Leigné-les-Bois
La Roche-Posay
Monthoiron
Pleumartin
Champigny-le-Sec
Vouzailles
Vouneuil-sur-Vienne
Dissay
Bonneuil-Matours
Archigny
Abbaye de l'Étoile
Angles-sur-l'Anglin
Neuville-du-Poitou
Futuroscope
St-Georges-lès-Baillargeaux
Ayron
Vouillé
Migné-Auxances
Forêt de Moulière
Bellefonds
La Puye
Liniers
Touffou
Latillé
Quinçay
Forêt de Vouillé-St-Hilaire
Bignoux
Lavoux
Jardres
Paizé-le-Sec
Nalliers
Montreuil-Bonnin
Benassay
Chapelle-Montreuil
St-Benoît
St-Julien-l'Ars
Pouillé
St-Germain
Béthines
Leignes-sur-Fontaine
Villesalem
Liglet
Marconnay
Sanxay
Ligugé
Tercé
Valdivienne
Haims
Jouhet
Curzay-sur-Vonne
Iteuil
Nouaillé-Maupertuis
Morthemer
Fleuré
Chapelle-Viviers
Pruniers
La Trimouille
Journet
Jazeneuil
Marçay
Chambonneau
Civaux
Rouillé
Vivonne
La Villedieu-du-Clain
Vernon
Lhommaizé
Verrières
Sillars
Thollet
Château-Larcher
St-Maurice-la-Clouère
St-Laurent-de-Jourdes
Lussac-les-Châteaux
Bourg-Archambault
St-Sauvant
Forêt de St-Sauvant
Gençay
Bouresse
Gouex
Saulgé
Magné
Persac
Plaisance
Lathus
St-Secondin
Queaux
Moulismes
Portes d'Enfer
Champagné-St-Hilaire
St-Rémy-en-Montmorillon
Couhé
Romagne
Sommières-du-Clain
Usson-du-Poitou
Moussac
Adriers
L'Isle-Jourdain
Brux
Champniers
Chaunay
Payroux
St-Martin-l'Ars
La Réau
Mouterre-sur-Blourde
Millac
Grotte du Chaffaud
Charroux
Availles-Limouzine
St-Saviol
Genouillé
Pressac
Lizant
Surin
Loire
Vienne
Martiel
Négron
Dive
Briande
Veude
Esves
Claise
Creuse
Envigne
Palu
Clain
Ozon
Gartempe
Anglin
Auxances
Boivre
Vonne
Clouère
Charente
Benaize
Salleron
L'Aquitaine
A10
N10
N11
N147
N149
N151
D61
D147
D148
D150
D675
D725
D727
D741
D749
D750
D751
D757
D759
D760
D942

# *Du paradis tourangeau aux Portes d'Enfer, la Vienne, terre de France*

*La Vienne à Châtellerault.*

*Avec Poitiers et Saint-Savin, la* ***Vienne*** *possède déjà un des plus riches patrimoines de France. La région est marquée, au nord, par la douceur paradisiaque de la Loire toute proche et, au sud, par une âpreté déjà limousine. La Vienne est riche en sites préhistoriques, en abbayes, en châteaux du Moyen Âge et de la Renaissance, en églises romanes. Le pont de Châtellerault est un des plus beaux de France, et le Futuroscope convie le voyageur à un grand voyage dans le futur. L'ombre de Richelieu semble partout présente. Cette terre, la plus française peut-être du Poitou-Charentes, a d'ailleurs vu naître Renaudot, le fondateur du premier journal français.*

Angles-sur-l'Anglin.

## ANGLES-SUR-L'ANGLIN

*Au sud-est de Châtellerault*

La ville ne s'adresse pas à ceux qui s'intéressent seulement aux vieilles pierres (encore qu'il y en ait quelques-unes ici, bien sûr)... mais elle ravira tous les autres, car Angles-sur-l'Anglin est une séduisante bourgade bâtie dans un **site** exceptionnel, de part et d'autre de l'Anglin, affluent de la Gartempe.

Les ruines d'un **donjon** quadrangulaire (XII^e^-XV^e^), campé sur un piton rocheux à quelque 40 mètres d'altitude, montrent que la ville, située sur les marches du Poitou, avait jadis une certaine importance. Le château fut une des nombreuses propriétés (cf. Chauvigny) des richissimes évêques de Poitiers. Une chapelle est séparée de la forteresse par la « tranchée des Anglais ».

L'église Saint-Martin est un édifice composite avec un clocher du XII^e^. Sur l'autre rive, dans le faubourg de Sainte-Croix, il y avait jadis une **abbaye**. Il en reste quelques vestiges, dont un portail du XIII^e^. Le cimetière recèle une rarissime **croix hosannière** de la même époque (v. Brouage, Charente-Maritime).

Les habitants d'Angles sont les Anglais, ce qui est logique. Le nom de la commune paraît répétitif puisque le premier terme (Angles) vient, à l'évidence, du second (Anglin). La ville est connue pour ses broderies très appréciées, faites à la main, dites les jours d'Angles (jour ayant ici le sens d'ouverture décorative).

Le cardinal Jean La Balue (vers 1421-1491) était né à Angles-sur-l'Anglin. Son titre de gloire est d'avoir trahi la confiance de Louis XI. Il fut emprisonné une dizaine d'années, mais il put finir sa vie sous le soleil de l'Italie.

Abbaye de l'Étoile : vestiges.

## ARCHIGNY

*Au sud de Châtellerault*

Nous sommes ici au pays des Acadiens, descendants des Français qui s'étaient installés au Canada, à l'aube du XVII<sup>e</sup> siècle. Plus tard, beaucoup d'entre eux refusèrent de prêter serment d'allégeance à la Couronne britannique. Ils furent alors contraints de s'exiler, à partir de 1755, et — pour la plupart — de « regagner » l'Europe. Ordre avait été donné aux soldats de Sa Majesté de nettoyer l'Acadie « de toute cette vermine française ».

Certains furent invités par le marquis des Cars (l'écrivain Guy des Cars appartient à la même famille) à s'installer dans la région de Châtellerault où il avait des terres. Leur souvenir est perpétué au **Musée acadien** d'Archigny (on trouvera également des documents intéressants au Musée municipal de Châtellerault). Il reste aussi quelques maisons acadiennes... et, bien sûr, quelques lointains descendants de ces Acadiens du Poitou.

À proximité, l'**abbaye de l'Étoile** mériterait d'être mieux connue. Elle fut créée en 1124 par Isembaud de l'Étoile, frère du fondateur de l'abbaye de Fontgombault (Berry). Il en reste de beaux vestiges, dont la sacristie (XIIe), la **salle capitulaire** (XIIe, avec voûtes sur croisées d'ogives du XIIIe), le parloir (transformé en passage au XVIIe)... et même la prison. Comme l'a joliment écrit Claude Garda « l'Étoile parle d'elle-même, plus haut, plus vrai peut-être, en tout cas mieux qu'une abbaye prestigieuse, de ce qui fait le fond du bonheur monastique, la vie cachée, la vie silencieuse, la grâce de disparaître, de n'être qu'une ombre... ». Le visiteur réfléchira à ce thème shakespearien en arpentant les ruines.

À l'ouest d'Archigny, **Bonneuil-Matours** est un village des bords de Vienne, délicieux mais sans prétention, avec un château Louis XIII et une église romane.

*Bonneuil-Matours : bords de la Vienne.*

*Charroux : « tour Charlemagne » (XIe).*

## CHARROUX

*Au sud du département*

Charroux fut, pendant plusieurs siècles, une des villes les plus connues du royaume. Étape sur la route de Compostelle, elle possédait une des plus riches et des plus puissantes abbayes bénédictines de France. Elle servit, d'ailleurs, de cadre à des conciles pléniers, notamment en l'an 989 (concile qui instaura la « paix de Dieu », interdisant de faire la guerre aux civils). Ses reliques étaient à la fois nombreuses et précieuses. Son abbatiale avait des dimensions exceptionnelles. La guerre de Cent Ans et les guerres de Religion affaiblirent l'abbaye. Elle fut emportée par la tourmente de 1790. Devenue « bien national », on la démolit pour en faire une carrière. La protection du patrimoine n'était pas une priorité.

Il reste, tout de même, une superbe **tour polygonale** (XIe), dite « tour Charlemagne », et l'aile orientale des **bâtiments monastiques** : salle capitulaire (fin XVe), vestiges du cloître (XVe). Quelques sculptures et statues ont également échappé au pic des démolisseurs. On en verra quelques exemples dans la salle capitulaire. Objets précieux dans la salle du trésor.

À Charroux proprement dit, on pourra également visiter les **halles** (XVIe). Au nord-est, près de Saint-Martin-l'Ars, l'**abbaye de la Réau** connut un destin semblable à celui de Charroux. Il reste les ruines de l'église abbatiale et des bâtiments monastiques, dont la belle salle capitulaire (XIIe).

À l'ouest de Charroux, sur la route de Civray, on peut se rendre à la **grotte du Chaffaud** (grotte pour les hommes de la préhistoire).

*Halles de Charroux. À l'arrière-plan, « tour Charlemagne ».*

*Bords de la Vienne à Châtellerault.*

Charroux est également connu grâce à Robert Grugeau (1909-1978) né à Payroux, tout près de là. Ce fils de postier travailla lui aussi dans les postes avant de devenir journaliste-écrivain… sous le pseudonyme de Robert Charroux. Certains de ses livres (tels que *Le Livre du mystérieux inconnu*, 1969) ont été des best-sellers.

## CHÂTELLERAULT

*Au nord-est de Poitiers*

Châtellerault était une des villes préférées des rois de France. François Ier, expert en beauté s'il en fut, jugea qu'elle était « moult belle et délectable ». Rien de spectaculaire, pourtant, dans le site : la ville, sagement, s'est blottie contre la Vienne. Le seul monument exceptionnel est un pont. Mauric Bedel avait pourtant raison d'écrire que cette région constitu « un des ensembles les mieux réussis du paysage français. L beau et le gracieux s'y confondent, la grandeur n'y est jamai au-delà de l'échelle humaine… ». Malgré sa morne banlieu de béton et d'usines, Châtellerault fait encore partie de ce villes où l'on peut être heureux, le temps d'un rêve.

La partie historique occupe un espace restreint, et c'es donc à pied qu'il convient de la visiter. L'artère centrale, l commerçante rue Bourbon, est d'ailleurs interdite à la circulation.

Le plus commode — puisqu'on peut se garer sous le arbres, à deux pas — est de commencer la visite à hauteur d

*Abbaye de la Réau.*

*Châtellerault : centre-ville, près de la poste.*

*Rue Bourbon.*

la **fontaine** qui ponctue d'une note mouillée l'extrémité sud du boulevard Blossac transformé en triste parking. Puis l'on pénètre dans la vieille ville, comme jadis les pèlerins de Compostelle, par la rue de la Porte-Saint-Jacques (même si la porte a disparu) afin d'atteindre la rue du Cognet (en 1663, La Fontaine descendit dans le bel hôtel des numéros 9-11). L'**église Saint-Jacques**, à proximité, est d'origine romane, mais elle a été très remaniée (même la façade est néo-romane).

Un peu plus bas, rue Sully, se dresse le remarquable **hôtel Sully** (1600), qui sert de musée. Quelques pas de plus nous conduisent sur les bords de la Vienne, face au pont **Henri-IV** (1565-1609), un des plus jolis ponts français. De l'autre côté de la rivière se trouve le **faubourg de Châteauneuf**, l'ancien quartier ouvrier où fonctionna, de 1819 à 1968, la manufacture d'armes qui rendit Châtellerault célèbre à travers l'Europe (en temps de guerre, 7 000 à 8 000 personnes y travaillaient). On y a installé aujourd'hui un **musée** de la Moto, de l'Automobile et du Cycle.

De ces bords de Vienne on aperçoit le **château** (milieu XV^e^) qui abrite aujourd'hui la biblio-

thèque et un musée. Puis, par la rue Gaudeau-Lerpinière, nous gagnerons la place Dupleix (le gouverneur des Indes françaises était né dans le Nord, mais d'une vieille famille de Châtellerault) et, de là, nous retrouvons la **rue Bourbon** où le **musée Descartes** nous attend, au n° 162. Cette maison est celle du docteur Pierre Descartes, grand-père du philosophe, et c'est dans cette rue que l'écrivain passa les premières années de son enfance avant d'aller étudier à La Flèche puis à Poitiers.

À l'extrémité nord de la rue Bourbon, place du Châtelet se dresse l'**hôtel Alamand** (XVIe) aujourd'hui incorporé aux bâtiments de l'hôpital Camille-Guérin. En tournant à droite

*Château-bibliothèque (milieu XVe).*

*Ci-contre : pont Henri-IV (XVIe).*

nous retrouvons le boulevard Blossac. Sur la droite, aux numéros 151-153-155 se trouve une des plus séduisantes demeures de la ville, la **maison de Sibylles** (XVIe), dont très peu de Châtelleraudais, d'ailleurs, connaissent le nom. Un peu plus loin, nous apercevons, en face d'un kiosque récemment dressé, le **théâtre** (1844) et l'**hôtel de ville** (1850), quartier général de l'ancien Premier ministre (1991-1992) Édith Cresson, maire de Châtellerault depuis 1983. Puis nous retrouvons, au bout du boulevard, la fontaine qui avait constitué notre point de départ [1].

Au sud de la ville, au-delà du quartier dit plaine d'Ozon, il faut de la vertu pour localiser les vestiges de la **commanderie des templiers d'Ozon** (XIIe-XIIIe).

Aux environs, voir aussi Oyré et Vieux-Poitiers.

1. Pour une visite complète, voir Michel Renouard, *Châtellerault*, Editions Ouest-France.

## CHAUVIGNY

*À l'est de Poitiers*

Cette ville, qui n'est pas la plus connue du Poitou, est pourtant une des plus séduisantes. La visite en est d'autant plus facile que presque tous les monuments intéressants sont situés dans la Ville Haute, c'est-à-dire le promontoire abrupt sur lequel la cité féodale est campée. On y voit les ruines, souvent impressionnantes, de cinq **châteaux** : château baronnial (XIe-XVe), château d'Harcourt (XIIIe-XVe), château de Montléon (XIIe) dont il reste peu de choses, et donjon de Gouzon (XIIIe). La ville, on le devine devant l'ampleur de ces constructions, était très riche. C'est que l'évêque de Poitiers était aussi seigneur de Chauvigny.

La belle **collégiale Saint-Pierre**, elle aussi sur la hauteur, est un édifice de plan tréflé construit aux XIe et XIIe siècles (restauré au XIXe). Noter le clocher du XIIIe et le chevet

*Vue générale de Chauvigny.*

*Ci-dessous : chapiteau roman à Saint-Pierre de Chauvigny.*

richement décoré. Dans le chœur, les **chapiteaux historiés** (scènes bibliques et symboliques) sont d'une facture exceptionnelle : à elles seules, elles font de Chauvigny une étape obligée.

Dans la Ville Basse, l'**église Notre-Dame** (chevet du XIIe) comporte également des chapiteaux du XIIe et une fresque du XIVe (Portement de Croix). Au sud de la ville, **Saint-Pierre-les-Églises** mérite également une visite, car c'est un sanctuaire préroman (fresques du IXe ou Xe), admirablement situé, sur lequel René Crozet dit assurément l'essentiel : « Nous découvrons ici, par un petit exemple local, ce qu'ont été les débuts de l'art roman. Confrontons avec l'ampleur et le luxe des absides romanes chauvinoises la modestie de ce sanctuaire fait de petites pierres presque cubiques (...) Découverte plus émouvante que l'intérieur réserve : tout un cycle de peintures murales terriblement pâlies déployé au pourtour de l'abside (...) À moins de 20 km de Saint-Savin, où nous saisirons la peinture murale romane dans son apogée, n'est-il pas miraculeux que nous puissions l'entrevoir dans ses tâtonnements ? » Tout est dit, en effet.

Noter, contre le chevet de l'église, une **borne** milliaire romaine (IIe siècle). Chauvigny fut aussi une cité gallo-romaine, bien située sur la voie Bourges-Poitiers.

Le meilleur point de vue sur Chauvigny se trouve sur la N 151 (route

*Chauvigny : église Saint-Pierre (clocher du XIIIe).*

*Civaux : nécropole mérovingienne.*

*Ci-dessous : Civaux, église Saint-Gervais.*

de Limoges), qui est d'ailleurs justement la route de Saint-Savin, un des hauts lieux français de l'art médiéval [1].

L'écrivain Maurice Fombeure (1906-1981) est né à **Jardres**, à l'ouest de Chauvigny. Après des études secondaires à Châtellerault et à Poitiers, il fit l'École normale supérieure à Paris. Il a publié de nombreux ouvrages, notamment des recueils de poèmes.

1. Chauvigny a servi de cadre à un des romans de Michel Renouard, *Le Chant des adieux* (1976).

## CIVAUX

*Au sud de Chauvigny*

Civaux, sur les bords de la Vienne, est un lieu d'occupation très ancien. Ce fut une cité gallo-romaine de quelque importance, mais surtout un des premiers points d'ancrage du christianisme dans le Poitou à l'époque mérovingienne.

L'**église** est une des plus anciennes de France. L'**abside** polygonale remonte au tout début de l'ère mérovingienne (Ve) ; une stèle funéraire de la même époque y est encastrée. La nef et les murs sont de l'époque romane (Xe-XIe). Les chapiteaux historiés utilisent des thèmes religieux ou profanes.

La bourgade possède aussi une exceptionnelle **nécropole mérovingienne** (sarcophages), dont les murs sont constitués

*Civray : fresque de Saint-Gilles (XIVe ?).*

*Façade romane de Civray.*

de couvercles de tombeaux. Elle eut jadis des dimensions considérables puisqu'elle contenait des milliers de tombes.

Le petit **Musée archéologique** recèle divers objets gallo-romains et mérovingiens.

Au nord-ouest, sur la Dive, affluent de la Vienne, **Morthemer** possède une église plutôt romane, une **croix hosannière** romane (v. Brouage, Charente-Maritime) et un **donjon** de la même époque (remanié).

## CIVRAY

*Au sud du département*

L'**église Saint-Nicolas** est un des chefs-d'œuvre du Poitou roman. Son clocher a la forme d'une tour-lanterne. La partie de loin la plus intéressante de l'église est la remarquable façade historiée, décorée dans la tradition poitevine. Les sculptures évoquent des thèmes bibliques, des symboles religieux (combat des Vices et des Vertus), mais il y a aussi quelques éléments profanes (par exemple les signes du zodiaque). Le tympan a été ajouté en 1858, lors d'une restauration. À l'intérieur, on verra la fresque de saint Gilles (XIVe ?) dans le croisillon sud. Les autres peintures, au goût douteux, sont du XIXe.

*Civray : détail de l'arcature droite (façade).*

La commune, située sur les bords de la Charente, se signale par ses deux rues principales parallèles. L'hôtel de la Prévôté, à proximité de l'église, est une demeure Renaissance. Il reste quelques vestiges des fortifications, car Civray fut, au Moyen Âge, une ville importante.

L'écrivain André Theuriet (1833-1907), aujourd'hui bien oublié, a utilisé le décor de Civray dans certaines de ses œuvres, en particulier *Le Fils Maugars* (1879).

Au nord, **Champniers**, serti dans un écrin de verdure, a beaucoup de charme ; son église possède des peintures murales du XV^e^. À **Sommières-du-Clain**, il y a un château de 1687. La commune est réputée pour ses melons (foire de la Saint-Claud). À l'ouest de Sommières, **Couhé** possède des halles du XVIII^e^.

Au sud-ouest de Civray, **Saint-Saviol** est connu pour ses fromages de chèvre (chabichous).

*Kinémax.*

*Ci-dessous : Labyrinthe aquatique. En arrière-plan, pavillon du Futuroscope.*

## FUTUROSCOPE

*Entre Châtellerault et Poitiers*

Le parc du Futuroscope, créé à **Jaunay-Clan** en 1987, entre Poitiers et Châtellerault, se visite plus qu'il ne se décrit. Il offre aux très nombreux visiteurs toute une série de réalisations tournées, comme son nom l'indique, vers le futur. Le Pavillon du

Futuroscope, qui regroupe plusieurs spectacles et expositions permanentes, nous convie à un étonnant voyage. Dans le parc d'attraction, des dizaines d'animations et de constructions futuristes fascineront les enfants (et ceux qui le sont restés). Le Kinémax (en forme de cristal de roche), Imax Solido (écran hémisphérique), Omnimax (avec objectif « fish-eye »), Le Tapis magique (qui donne l'impression de voler), le Cinéma 360° (image circulaire avec 9 projecteurs), le cinéma en relief et autres pavillons annoncent ce que sera le monde des images au XXIe siècle.

Le Futuroscope comprend aussi un complexe de formation (y compris un lycée pilote) et un complexe industriel (téléport, palais des Congrès). À la tombée de la nuit se déroule un spectacle laser (« La symphonie des eaux »).

Ceux qui, malgré tout, continueront de s'intéresser au passé pourront aller saluer l'église romane et l'hôtel de ville (XVIIIe) de Jaunay-Clan.

Au sud-est, le **château de Vayres**, à Saint-Georges-les-Baillargeaux (XVIe-XVII[e]) est construit sur une terrasse à contreforts. Dans les jardins à la française se dresse un vaste pigeonnier cylindrique du XVIIe.

Le **château de Dissay** (fin XVe, remanié), qui appartenait aux évêques de Poitiers, est une demeure impressionnante, entourée de douves. C'est, à coup sûr, un des plus élégants châteaux du doux pays de Châtellerault. La chapelle recèle des peintures murales du début XVIe.

## GENÇAY

*Au sud de Poitiers*

Gençay possède les ruines, toujours très impressionnantes, d'un **château** des XIIIe-XIVe. L'église fortifiée de **Saint-Maurice-la-Clouère** est un sanctuaire intéressant, à la fois par son plan tréflé, son chevet, son clocher et ses peintures du XIVe.

Le **château de La Roche**, près de Magné, au sud, fut construit en deux temps : partie gauche vers 1530, partie droite vers 1615. Il recèle un **musée de l'Ordre de Malte**.

À **Château-Larcher**, on pourra voir les restes d'un château, une petite église du XIIe, dont la façade est assez riche, et une lanterne des morts (début XIIe).

## LENCLOÎTRE

*À l'ouest de Châtellerault*

Comme son nom semble l'indiquer, il y avait ici un cloître, en l'occurrence un prieuré de femmes créé au début du XIIe. L'actuelle **église** paroissiale en était la chapelle. C'est un sanctuaire roman du XIIe, très remanié, avec façade ouest fortifiée au XVe. À l'intérieur, noter les chapiteaux.

À l'est, **Scorbé-Clairvaux** possède des halles en bois du XVIIIe et un château (XVe-XVIIe) entouré de douves. On y verra le **musée international du Jeu-d'Échecs**. Le donjon du Haut-Clairvaux (XIIe) est en ruines.

À l'ouest, **Mirebeau** possède des vestiges de ses fortifications. Ses sanctuaires sont, pour l'essentiel, des constructions ou reconstructions du XIXe. Au nord, séduisant **château de Coussay**, cher à Richelieu. Entouré de douves, il fut construit au début du XVIe siècle.

Le **site des Tours-Mirandes**, à l'ouest de Vendeuvre, fut celui d'une cité gallo-romaine, sans aucun doute importante. Il n'a pas encore été fouillé dans sa totalité mais a déjà livré bien des vestiges.

## LIGUGÉ

*Au sud de Poitiers*

Peu d'endroits en Europe peuvent se vanter d'avoir une activité monastique aussi ancienne : en 1961, l'abbaye de Ligugé a fêté le seizième centenaire de sa création. C'est, en effet, en 361 que le premier ermite est venu s'installer ici sur les bords du Clain, dans une villa gallo-romaine. Et pas n'importe qui : celui qui allait devenir un des saints les plus populaires de la Gaule, saint Martin, originaire de Pannonie (ouest de l'actuelle Hongrie).

Tous les écoliers de France apprenaient jadis comment Martin, alors soldat à Amiens, déchira son manteau en deux pour secourir un mendiant qui mourait de froid. La réputation de Martin ne tarda pas à dépasser les bords du Clain, puisqu'il devint — sous la pression populaire, assure la tradition — évêque de

*Le château de Dissay (fin du XVe).*

*L'abbaye de Ligugé, créée au IVe siècle, a été restaurée dans la seconde partie du XIXe.*

*Ligugé : sarcophage du jeune chef wisigoth Ariomeres datant du début de l'époque mérovingienne. L'inscription est la première référence connue au culte de saint Martin.*

*Abbaye de Ligugé. Les bâtiments actuels datent, pour l'essentiel, du XIXe.*

Tours en 370. Vers la même époque, un premier miracle se produisit à Ligugé : la résurrection d'un jeune disciple.

Martin mourut à Candes (aujourd'hui Candes-Saint-Martin, Indre-et-Loire) et, comme il était de tradition à l'époque, chacun entendait bien mettre la main sur ses précieuses reliques. Ses disciples tourangeaux furent les plus malins et réussirent à transporter le cadavre en lieu sûr. Sur le passage de la dépouille, la nature engourdie par les frimas connut un printemps inopiné… d'où l'expression « l'été de la Saint-Martin » (vers le 11 novembre). La France garde la trace de l'exceptionnelle popularité de ce saint, puisque des centaines de communes et plus de 4 000 églises portent son nom.

Certes, la vie monastique à Ligugé n'a pas été ininterrompue de 361 à nos jours. Il y eut même de longues périodes d'abandon, aux XVIIIe et XIXe siècles notamment. En 1853, quatre moines de Solesmes reprirent enfin le flambeau de saint Martin.

Les bâtiments de l'actuel **monastère** datent, pour l'essentiel, de cette période de renouveau (XIXe) mais ils incorporent quelques éléments plus anciens (tour du XVIe, un bâtiment du XVIIe). Par ailleurs, des fouilles ont été entreprises à partir de 1953, sous l'église ou à proximité immédiate. Elles ont permis de retrouver des vestiges d'une villa gallo-romaine (peut-être celle où vécut saint Martin) et, surtout, des sanctuaires antérieurs : basilique et martyrium du IVe siècle, églises du VIe et du VIIe, ainsi qu'un pavage du VIIe et de nombreux sarcophages mérovingiens.

L'actuelle **église** Saint-Martin date du XVIe (abside du XIXe). On notera sa façade flamboyante et, bien sûr, la représentation traditionnelle de saint Martin partageant son manteau (sur l'une des portes Renaissance).

Depuis sa reprise par les moines de Solesmes, Ligugé est devenu un haut lieu spirituel et intellectuel. Plusieurs artistes ou écrivains étaient — ou sont actuellement — très liés avec Ligugé. Ce fut, en particulier, le cas de J.-K. Huysmans (1848-

*Statue de Théophraste Renaudot, fondateur en 1631 du premier journal français,* La Gazette.

*Maison natale de Renaudot.*

1907) qui, après avoir été fonctionnaire au ministère de l'Intérieur, se retira sur les bords du Clain. Son itinéraire spirituel est retracé dans *En route* (1895) et *L'Oblat* (1903). Huysmans dut retourner à Paris en 1901, lorsque les moines furent chassés de leur monastère par la loi de séparation de l'Église et de l'État (v. Pons, Charente-Maritime).

On visitera aussi la **galerie d'émaux** (spécialité du monastère) et le **Musée monastique**.

Au nord de Ligugé, à Saint-Benoît, l'**abbaye Sainte-Croix** était un autre monastère bénédictin fondé au VII^e^ siècle. L'église romane (XI^e^) a été restaurée. Il reste une partie de l'ancien cloître (XII^e^). À l'ouest de l'abbaye, on peut se rendre au site de **Passelourdin** (grotte préhistorique).

## L'ISLE-JOURDAIN

*Au sud-est du département*

Le **site** de cette ville des bords de Vienne, campée sur une hauteur, est très séduisant. On peut l'apprécier, par exemple, du pont Saint-Sylvain. Trois **barrages** forment de beaux plans d'eau, où l'on pratique divers sports nautiques.

Cette région sud-est de la Vienne est peu connue. Elle est pourtant idéale pour des vacances « vertes ».

## LOUDUN

*Au nord-ouest de Châtellerault*

Bien situé aux confins du Haut-Poitou, de l'Anjou et de la Touraine, Loudun a joué un rôle dans l'histoire de France. Jadis très prospère, c'était une ville de militaires et d'ecclésiastiques. La Réforme s'y implanta dès la fin du XVI^e^ siècle, et c'est d'ailleurs dans une famille protestante que naquit le plus célèbre de ses fils, Théophraste Renaudot (1586-1653). Ce médecin créa le premier service de consultations médicales gratuites... mais aussi la presse française en lançant, en 1631, son journal *La Gazette*. Depuis 1925, le prix Théophraste-Renaudot perpétue sa mémoire.

Deux sombres histoires judiciaires ont jeté une ombre sur l'histoire de la ville. Il y eut d'abord l'affaire Urbain Grandier (1590-1634). Ce jeune curé de Loudun fut accusé d'avoir commis les pires turpitudes dans un couvent d'ursulines. Trop séduisant et trop intelligent pour ne pas être jalousé, Grandier fut jugé et condamné à être brûlé vif (après torture, cela va de soi). Ce cas d'hystérie collective a fait depuis le bonheur des spécialistes de psychiatrie, mais il y avait un aspect politique au procès Grandier. Il n'est pas douteux que Richelieu ait joué un grand rôle dans cette affaire, d'ailleurs contemporaine de la construction de la ville voisine qui, justement, porte le nom du cardinal (v. Richelieu). L'Anglais Aldous Huxley a consacré un livre à l'affaire Grandier (*The Devils of Loudun*, 1952), qui a été adapté à l'écran.

Plus récemment, Loudun a de nouveau défrayé la chronique judiciaire avec l'affaire Marie Besnard (1896-1980), dite « l'empoisonneuse de Loudun ». Accusée de plusieurs empoisonnements, elle fut acquittée en 1961.

On pourra réfléchir à la fragilité des témoignages en parcourant les rues étroites de la ville, souvent bordées de hauts murs comme pour mieux étouffer quelque pesant secret. La cité est dominée par la **tour Carrée**, haute de 30 mètres, de 1040 (panorama). À l'ouest, Saint-Hilaire-du-Martray (XIVe-XVIe) possède un beau portail Renaissance. Au nord-est, l'église Saint-Pierre-du-Marché (XIIIe-XVIe) fut celle d'Urbain Grandier. La collégiale Sainte-Croix, au sud-est, possède un chœur roman et des peintures murales du XIIIe. C'est sur son parvis que fut brûlé Grandier. Piètre consolation posthume : la place porte aujourd'hui son nom. Il y a deux musées : le **musée Théophraste-Renaudot**, près de Saint-Pierre, et le **musée Charbonneau-Lassay** (histoire locale), près de Saint-Hilaire.

Au nord , près de Bournand, se dresse dans une cour le remarquable **dolmen de la Pierre-Folle**, de type angevin.

À l'ouest, à **Ranton**, on pourra voir le château (porte fortifiée du XIVe), le portail roman de l'église et le Musée paysan. Un peu plus au nord, le merveilleux **château de Ternay** est un impressionnant bâtiment avec donjon hexagonal (remanié au XVe) et façade flamboyante. Sa **chapelle** est un petit chef-d'œuvre du gothique flamboyant (XVe).

Au sud de Loudun, **musée du pays loudunais** à Chalais et **musée de l'Acadie** à la Chaussée.

*Tour carrée (XIe) de Loudun.*

*Église Saint-Hilaire : panneau de la Vierge à l'Enfant.*

## LUSIGNAN

*Au sud-ouest de Poitiers*

Pendant plusieurs siècles, la famille des Lusignan fut une des plus célèbres du Poitou. Leur ville était solidement défendue par un château, mais celui-ci fut démoli au XVII^e^ siècle.

Lusignan est aujourd'hui une paisible cité campée sur son promontoire sur les bords de la Vonne. On y verra les **halles** du XIX^e^ (qui recèlent des sarcophages mérovingiens), la belle esplanade Blossac (XVIII^e^) d'où le visiteur jouit d'une belle vue sur la vallée et, surtout, l'ancienne priorale fondée en 1025.

Cette **église**, d'origine romane, date des XI^e^ et XII^e^ siècles, mais elle a été agrandie et remaniée par la suite. Le chevet est richement sculpté. À l'intérieur, voir les chapiteaux et la **crypte**, elle-même décorée de chapiteaux à volutes et de sculptures.

La légende de Mélusine — la fée qui, le samedi, était moitié femme, moitié serpent — est liée à Lusignan puisque, selon la tradition, c'est ici, au lieu-dit la **font de Sé** (la fontaine de la soif) que la fée rencontra le chevalier qu'elle épousa. Ce qui, on s'en doute, se termina en tragédie.

À l'ouest de Lusignan, **Rouillé** possède une belle église gothique (avec quelques éléments romans) et un musée de la Machine à coudre. À l'est, **Vivonne** conserve les ruines de son château (XII^e^ au XVI^e^) et son ancienne priorale qui, pour l'essentiel, est gothique. Selon la tradition, c'est ici que François Ravaillac (1578-1610), né à Angoulême (v. à ce nom), décida d'assassiner Henri IV.

## MONTMORILLON

*Au sud-est de Poitiers*

Ce site, sur les bords de la Gartempe, est d'occupation ancienne, comme en témoignent les objets du paléolithique supérieur, trouvés dans le gisement de La Piscine, présentés au **musée de la Préhistoire**.

Des moines créèrent ici un établissement hospitalier, la **Maison-Dieu**, à la fin du XI^e^ siècle. On pourra voir la chapelle Saint-Laurent (façade du XII^e^), le chauffoir (XVII^e^), le musée de la Tour (XIV^e^), l'Octogone (fin XI^e^ ?) dont on notera les sculptures (notamment la Luxure) et la grange dîmière (XVII^e^) où se trouve le musée de la Préhistoire.

*Lusignan : église romane.*

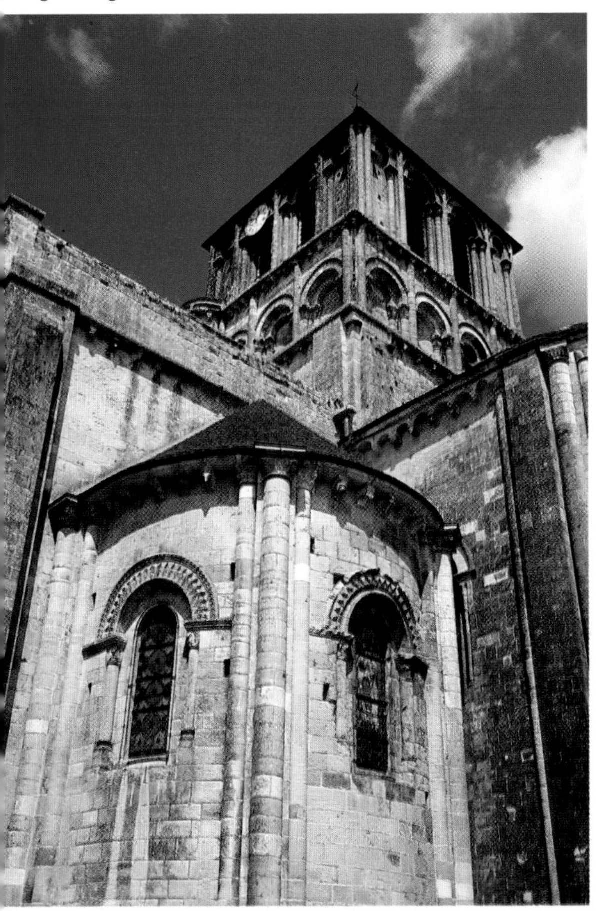

*Montmorillon : fresque (XII^e^) dans la crypte de l'église Notre-Dame.*

*Les Portes d'Enfer.*

*Page de droite : Oyré et son église Saint-Sulpice (XI$^{e}$).*

Plus au nord, l'**église Notre-Dame** est un sanctuaire d'origine romane, mais elle a été très remaniée. Noter le chevet du XI$^{e}$ et la nef du XIII$^{e}$. Dans la crypte, on découvre des **fresques** de la fin du XII$^{e}$, dont quelques-unes sont consacrées à sainte Catherine d'Alexandrie. Le **vieux pont**, à proximité, date de 1404.

Au sud-est de Montmorillon, les **Portes d'Enfer** constituent une excursion étonnante le long des rives encaissées de la Gartempe qui devient torrent. C'est une promenade à ne pas manquer.

À l'ouest, **Lussac-les-Châteaux**, important site préhistorique, est la ville natale de la marquise Françoise de Montespan (1641-1707), la maîtresse officielle de Louis XIV, dont elle eut 8 enfants. Un **musée** lui est en partie consacré dans la demeure Renaissance où elle serait née, mais l'essentiel des collections est lié à la préhistoire.

Au nord, le **château de Pruniers**, sur les bords de la Gartempe, est une séduisante demeure du XV$^{e}$ avec ses tourelles à poivrières. Tout près, un **pigeonnier** du XI$^{e}$ serait l'un des plus anciens de France.

*Lusignan : halles (XIX$^{e}$) et clocher de l'église romane.*

À **Jouhet**, dans une chapelle funéraire (XV$^{e}$), on verra des peintures du début XV$^{e}$. Plus à l'est, **Villesalem** possède une église romane (XII$^{e}$) dont la façade ouest et la décoration intérieure sont remarquables.

## NOUAILLÉ-MAUPERTUIS

*Au sud-est de Poitiers*

L'**abbaye** bénédictine, joliment située dans un vallon sur les bords de la Miosson, a une origine très ancienne. Elle était protégée par des douves et une enceinte fortifiée (XIII$^{e}$) dont il reste des vestiges (tours et portes). L'ensemble ne manque pas de séduire. Il y a un musée et des salles d'exposition.

L'église (fin XI$^{e}$, mais avec beaucoup d'éléments postérieurs) possède un jubé de bois du XVII$^{e}$ et un sarcophage (VII$^{e}$ ?) dit « châsse de saint Junien ». Dans la crypte, découverte en 1945, on découvre des substructures de l'église primitive.

Nouaillé a été le cadre d'une des batailles de Poitiers, celle qui opposa, en 1356, le roi Jean II le Bon et le Prince Noir, fils du roi Edward III. La bataille fut désastreuse pour les Français et conduisit au traité de Brétigny qui abandonna l'Aquitaine à l'Angleterre. Du moins le combat a-t-il donné naissance à une phrase célèbre, attribuée au fils de Jean le Bon : « Père, gardez-vous à droite… Père, gardez-vous à gauche. »

Au nord-est, le monastère Notre-Dame du Calvaire, à **Saint-Julien-l'Ars**, n'est installé ici que depuis 1962, mais cette communauté de bénédictines venait de Poitiers où elle s'était établie au début du XVII$^{e}$ siècle.

## OYRÉ

*Au nord-est de Châtellerault*

La route de Châtellerault à Oyré permet de prendre de la hauteur et d'apprécier comme il convient le **site** de l'ancienne capitale du couteau.

*Poitiers, vue générale depuis la terrasse des Dunes. Au centre, chevet de la cathédrale Saint-Pierre.*
*À droite, église Sainte-Radegonde.*

Peu connue, l'attachante **église Saint-Sulpice** d'Oyré mérite pourtant le détour. Ce bel édifice roman, dressé sur un tertre au cœur du village, se signale par un rare porche-galerie à arcades. Le sanctuaire recèle une étonnante et originale série de **chapiteaux** (XI$^{e}$) dont le style truculent et « barbare » est unique dans la région.

Près d'Ingrandes, à l'ouest, le **château de la Groie** (XIV$^{e}$, fortifié au XV$^{e}$ et remanié) est un très bel édifice avec deux tours à poivrière et un chemin de ronde. La porte cochère est du milieu XVII$^{e}$.

## POITIERS

*Au centre du département*

Pourquoi hésiterions-nous à l'écrire : Poitiers est une des plus belles villes de France ? Même si le XIX$^{e}$ siècle a été ici d'une rare sottise, même si le XX$^{e}$ a laissé pousser à la périphérie une arrogante ceinture de laideur et de béton, le cœur de la cité est, pour l'essentiel, resté intact. Il offre toujours au visiteur une riche collection de chefs-d'œuvre, dont le joyau est, sans conteste, l'église Notre-Dame-la-Grande.

Poitiers est née sur une hauteur, au confluent de la Boivre et du Clain. La ville gallo-romaine a laissé, çà et là, quelques traces. Les premiers siècles du christianisme y ont vu naître de précieux sanctuaires qui, par miracle, ont traversé les siècles. Les églises romanes et gothiques sont encore nombreuses. Le tracé fantaisiste des rues médiévales est toujours perceptible même si l'on remarque plus d'hôtels Renaissance que de maisons du Moyen Âge.

Ville gallo-romaine sous le nom de Limonum, elle devient Poitiers vers le IV$^{e}$ siècle (Civitas Pictavorum), s'identifiant ainsi à l'identité de ses occupants, les Pictons. Les manuels scolaires nous ont appris qu'il y avait eu trois « batailles de Poitiers », mais, à vrai dire, la localisation des deux premières est incertaine : bataille de 507 (Vouillé ?), bataille de 732 ou 733 (au sud de Châtellerault ?), bataille de 1356 (à Nouaillé-Maupertuis). En fait, aucune des « batailles de Poitiers » ne se déroula vraiment à Poitiers. Même Diane de Poitiers… était d'Anet, en Eure-et-Loir. Mais qui se plaindrait que la mariée est trop belle ?

Au XV$^{e}$ siècle, la ville est une capitale intellectuelle, et une université y est créée en 1431. Presque tous les écrivains de la Renaissance — de Rabelais à Ronsard — eurent partie liée avec la ville. À partir de 1479 — date de la parution du premier incunable publié à Poitiers —, les presses des imprimeurs y sont très actives. Sa bibliothèque est devenue une des plus riches de France.

Avec la Révolution, Poitiers perd soudain de l'importance. Elle était la capitale du vaste Poitou, la voici simple préfecture

*Face à Notre-Dame-la-Grande.*

*Ci-dessous : Poitiers, capitale de la douceur de vivre.*

de la Vienne. La création, un siècle et demi plus tard, d'une région administrative dite « Poitou-Charentes » ne lui a pas permis de retrouver cette primauté intellectuelle qui, à l'époque des provinces, avait été la sienne pendant si longtemps. Signe des temps : à Poitiers comme dans la plupart des villes, l'université a dû s'exiler à la périphérie sur un morne campus de béton.

Il faut, au moins, une bonne journée pour découvrir la ville. Nous suggérons de commencer la visite au sud-ouest de la cité — ou, si l'on préfère, au sud de la gare —, à proximité du **parc Blossac**, facile à localiser. Cela nous permettra de saluer le souvenir du comte de Blossac, dynamique Intendant du Poitou au XVIIIe siècle dont on retrouve souvent le nom dans la région (notamment à Châtellerault).

La rue de la Tranchée, qui longe le parc à l'ouest, conduit au doyenné Saint-Hilaire (porte Renaissance) puis à l'église **Saint-Hilaire-le-Grand**, monument de grand intérêt. C'est, pour l'essentiel, une construction du XIe siècle — très restaurée, il est vrai — dont il convient d'admirer le chevet (XIIe). La structure intérieure de l'édifice, complexe (nef centrale avec triples collatéraux, coupoles sur trompes) montre qu'il a été construit sur une période assez longue. On notera la châsse de saint Hilaire dans la crypte, des vestiges de peintures murales (XIIe-XIIIe) et un sarcophage mérovingien (Ve ?).

La rue Théophraste-Renaudot salue la mémoire d'un illustre voisin (v. Loudun). Elle nous conduit à la **préfecture** (XIXe, pastiche du style Louis XIII). En face, la rue Victor-Hugo — qui relie la préfecture à la mairie — recèle quelques immeubles intéressants (XIXe et XXe), dont le lycée Victor-Hugo et le **musée de Chièvres** (XVIIIe, portail du XVIIe). Rupert de Chièvres était un collectionneur local qui a rassemblé ici d'impressionnantes collections (peintures, sculptures, tapisseries, mobilier, émaux, céramiques).

La **place du Maréchal-Leclerc** constitue le centre actuel de la ville. Aux beaux jours, les terrasses des cafés y débordent large-

*Poitiers : le baptistère Saint-Jean (milieu du IVe) est la plus ancienne construction chrétienne de France. Elle a été modifiée au fil des siècles.*

*Page de gauche, en haut : chevet (XIIe) de l'église Saint-Hilaire-le-Grand.*

*Page de gauche, en bas : Saint-Hilaire-le-Grand, élévation de la nef.*

ment et sont le rendez-vous obligé de tous ceux qui aiment la douceur poitevine. L'**hôtel de ville** (1875, style Renaissance) recèle quelques œuvres d'art intéressantes (dont des Puvis de Chavannes).

Par les rues qui, à droite de la mairie, filent vers l'est, on atteint bientôt le riche **musée Sainte-Croix**. Il comprend des collections sur le Poitou, mais surtout des produits des fouilles archéologiques de la région et des galeries de peinture (XVIIIe-XIXe-XXe). En face se trouve l'**espace Pierre-Mendès-France** qui accueille notamment des expositions.

Le **baptistère Saint-Jean**, à proximité immédiate, est une construction unique puisqu'elle date du milieu du IVe siècle : c'est donc la plus ancienne construction chrétienne de France. Certes, la structure a subi des modifications au cours des siècles (notamment au début VIe et aux VIIe, Xe et XIXe) mais la *cella* centrale est bien celle que l'on utilisait, au IVe siècle, pour pratiquer le baptême par immersion. Le baptistère comprend aujourd'hui un musée d'Archéologie mérovingienne. On notera aussi les chapiteaux de marbre (fin VIIe) et des fresques des XIIe et XIIIe siècles. Ce bâtiment, à tous égards exceptionnel, fut désaffecté à la Révolution, puis servit de hangar. La municipalité béotienne voulut alors le démolir. On le sauva in extremis en 1834.

Arrivé à ce point de la visite, un itinéraire-bis s'offre aux bons marcheurs : prendre le pont Neuf, s'engager dans la rue du Faubourg-du-Pont-Neuf, puis tourner à gauche. On atteint alors, devant une caserne, la **terrasse des Dunes** (panorama unique sur Poitiers et le Clain) puis, à proximité relative, l'**hypogée des Dunes**, chapelle souterraine du début du VIIIe siècle, construite au centre d'un cimetière chrétien. L'hypogée recèle divers objets et sculptures, dont une rarissime sculpture mérovingienne (crucifixion des deux larrons). Au sud-est du quartier se dresse le fameux **dolmen de la Pierre-Levée**, sans doute âgé de quelque 5000 ans, dont Rabelais parle dans *Pantagruel*.

Ceux qui choisissent de ne pas saluer l'hypogée et le dolmen poursuivront directement par l'**église Sainte-Radegonde**, qui se signale par un clocher-porche dont la base comporte un

*Chevet de l'église Sainte-Radegonde.*
*Ci-dessous : église Sainte-Radegonde, détail.*

*Cathédrale Saint-Pierre.*

portail flamboyant avec balustrade du XV^e^. La nef est du XIII^e^. Mais l'essentiel de l'édifice est roman. Deux chapiteaux historiés sont célèbres : Adam et Ève et Daniel dans la fosse aux lions. La crypte abrite le tombeau de Radegonde, épouse du roi Clotaire I^er^ morte à Poitiers en 587... représentée en statue sous les traits d'Anne d'Autriche, qui l'offrit en 1658.

La **cathédrale Saint-Pierre**, un peu plus à l'ouest, est une très vaste église, construite de la fin du XII^e^ au XIV^e^. Sa belle façade à trois portails est une réalisation du XIII^e^. Le chevet plat surprend par sa hauteur (49 m). À l'intérieur, noter la verrière de la Crucifixion (fin XII^e^), les stalles du XIII^e^ et la tribune-coquille des orgues (XVIII^e^). Derrière la cathédrale, la rue Sainte-Croix et ses voisines forment un quartier très ancien, construit sur la ville gallo-romaine.

Par une des rues au nord de la cathédrale, le visiteur débouche sur la pittoresque **Grand-Rue**, dont le caractère ancien est évident (nombreux hôtels des XVI^e^ et XVII^e^ siècles). Puis il atteint le chef-d'œuvre de la ville, l'**église Notre-Dame-la-Grande**. Son extraordinaire façade, récemment restaurée, forme un ensemble iconographique très riche : scènes de la Bible sur l'étage inférieur, statues des Apôtres sur la première et deuxième rangée d'arcatures à colonnettes (plus, aux extrémités du registre supérieur, deux statues d'évêques, sans doute Hilaire et Martin). Puis, au pignon, le Christ en Majesté. De part et d'autre de la façade, deux colonnes d'angle sont surmontées de clochetons dont on note le couronnement conique à écailles.

L'intérieur de l'église a été peint au XIX^e^ siècle (les avis à ce sujet sont évidemment partagés, mais l'ensemble ne paraît pas choquant). Il y a aussi des **peintures romanes** (restaurées) sur les voûtes du chœur et de l'abside. La statue Notre-Dame des Clefs, relativement récente (fin XVI^e^), est liée au « miracle des clefs » qui, au début du XIII^e^ siècle, sauva la ville de Poitiers. Dans une des nombreuses chapelles intérieures, noter une Mise au tombeau (milieu XVI^e^).

Par les rues de la Fête-Noire, des Flageolles et de la Prévôté, on atteint la rue Descartes. L'**hôtel Fumé** (début XVI^e^) est un bel hôtel Renaissance qui fut faculté des lettres (il vaut mieux éviter de comparer son architecture à celle de l'actuelle). Puis on revient sur ses pas, rue Descartes, et l'on atteint bientôt le palais de justice, ancien **palais des ducs d'Angoulême**. Sa façade néo-classique est d'époque Restauration, mais le palais comprend deux exemples rarissimes d'architecture civile romane : la tour Maubergeon (début XII^e^) et, surtout, la **grande salle des pas perdus** (fin XII^e^, remaniée, cheminées du XIV^e^).

Ceux qui veulent voir une église de plus pourront se rendre, par la rue Gambetta, à l'église Saint-Porchaise (clocher-porche du XI^e^). Les autres pourront se perdre à loisir dans le labyrinthe du Vieux Poitiers ou retrouver la place du Maréchal-Leclerc pour y goûter un vin du pays (le marigny-brizay, par exemple). Notre courte visite est, certes, bien incomplète, et il nous a fallu nous résigner à écarter quelques monuments un peu trop éloignés du centre (comme l'église Montierneuf, par exemple). Raison de plus pour y revenir.

Un certain nombre de gens célèbres sont originaires de Poitiers. Tous les écoliers connaissent le BCG (bacille bilié de Calmette et Guérin)... dont la troisième lettre fait référence au médecin Camille Guérin (1872-1961). Abel Bonnard (1883-1968) eut un destin singulier : il fut écrivain, critique, journaliste, académicien, puis ministre de l'Éducation nationale sous Vichy ; il mourut en exil. Jean Rousselot (1913), fils d'un forgeron, est connu comme poète, romancier et critique. Jean Savatier (1922) est un juriste réputé, connu pour ses manuels

*Cathédrale Saint-Pierre.*

*Façade romane de Notre-Dame-la-Grande.*

de droit. Michel Foucault (1926-1984) a laissé de nombreuses études de psychiatrie.

## RICHELIEU

*Au nord-ouest de Châtellerault*

Ne soyons pas xénophobe : Richelieu — qui fit partie du Loudunois — est, certes, en Indre-et-Loire, mais juste de l'autre côté de la « frontière ». C'est une étape obligée si l'on se rend de Loudun à Châtellerault par la route la plus rapide — riche en montagnes russes —, les départementales 61 et 749.

Cette ville est née du désir de Richelieu (1585-1642), né à Paris, mais devenu évêque de Luçon (Vendée), puis Premier ministre de Louis XIII (dont les favoris étaient parfois les espions du pieux cardinal).

Conçu par Jacques Lemercier, l'architecte de la Sorbonne, et réalisé par son frère Pierre, Richelieu est un ensemble urbain exceptionnel, de style Louis XIII. La cité est construite selon un plan géométrique et entourée de douves (aujourd'hui jardins) et remparts. La plupart des bâtiments sont du XVIIe siècle. Dans l'hôtel de ville, un **musée** est consacré à la ville et au cardinal.

*Richelieu... à Richelieu (Indre-et-Loire).*

Il ne reste rien de l'immense et superbe château construit par Richelieu, mais le merveilleux **parc** est toujours là pour inciter à la rêverie. Richelieu est le lieu idéal pour lire ou relire *Les Trois Mousquetaires*.

Autre note nostalgique : on peut encore prendre un **train** de la Belle Époque pour se rendre à Chinon (20 km). Il y a un musée postal à la gare.

Au sud-ouest, dans la Vienne, le remarquable **château de la Roche-du-Maine** et du XVIe (restauré).

## LA ROCHE-POSAY

*À l'est de Châtellerault*

Ce sont les **sources thermales** qui, depuis très longtemps sans doute, ont fait la réputation et la fortune de la ville. Ses eaux sont réputées pour les affections de la peau.

Bien campée sur son piton rocheux surplombant la Creuse, La Roche-Posay fut aussi une place forte, mi-poitevine, mi-tourangelle. Il reste de beaux vestiges de son système défensif, dont un **donjon** carré du XIe et une porte fortifiée du XVe.

L'église, qui présente elle-même des éléments fortifiés du XVe, est de style composite (clocher roman). Elle recèle deux intéressants **bas-reliefs** de la fin du XVIIe (martyre de saint Laurent et Nativité).

On pourra se promener dans les rues étroites de cette petite ville pittoresque, s'attarder près de son pont et se rendre, à quelque distance de là, sur les ruines de l'abbaye cistercienne de la Maison-Dieu, créée au XIIe siècle.

*Ancien établissement thermal.*

*Martyre de saint Laurent (1685) brûlé vif sur un gril en l'an 258.*

*La Roche-Posay : porte fortifiée du XVe.*

## SAINT-SAVIN

*À l'est de Poitiers*

Tous les spécialistes le reconnaissent : l'église romane de Saint-Savin possède la plus belle série de peintures murales d'Europe. C'est une collection unique qui a, d'ailleurs, valu à Saint-Savin, en 1984, son inscription au Patrimoine mondial de l'Unesco, à côté de Versailles, Saint-Pétersbourg, le Taj Mahâl ou la Grande Muraille de Chine. Cette église est le seul monument du Poitou-Charentes à jouir de ce rarissime privilège.

Quelques lignes ne suffiront donc pas pour souligner l'extrême intérêt de ces peintures, ni pour en décrire la qualité esthétique. Les visiteurs trouveront sur place toute la documentation nécessaire, et c'est à pas lents, descriptif à la main, qu'ils déambuleront dans ce chef-d'œuvre du Moyen Âge.

On ne sait pas grand-chose sur les deux saints honorés en ces lieux, Savin et Cyprien. Selon la tradition, ils vivaient dans la lointaine Macédoine au V^e^ siècle. Plusieurs fois emprisonnés et torturés pour leur foi, ils réussirent à s'enfuir... et trouvèrent refuge ici, sur les bords de la Gartempe. Ils pouvaient sans doute espérer avoir mis suffisamment de kilomètres entre eux et leurs tortionnaires. Mais seul le pire est toujours certain : contre toute attente, ceux-ci les retrouvèrent et leur offrirent cette fois, après de nouveaux supplices, la palme définitive du martyr. Les fresques de la crypte évoquent, d'ailleurs, l'existence de Savin et de Cyprien, mais elles procèdent plus de l'hagiographie que de l'histoire.

Pour protéger leurs saintes reliques, leurs disciples élevèrent ici un premier sanctuaire. Puis des moines s'installèrent sur les lieux, sans doute dès le IX^e^ siècle. L'abbaye de Saint-Savin était déjà très célèbre au X^e^ siècle, mais l'église que nous voyons aujourd'hui est une construction du siècle suivant. L'abbaye eut une longue histoire puisqu'elle ne disparut qu'à la Révolution. Délabré, le sanctuaire fut restauré en 1841-1845, grâce aux efforts de l'écrivain Prosper Mérimée, qui était aussi inspecteur des Monuments historiques et avait visité Saint-Savin. D'autres restaurations sont intervenues au XX^e^ siècle.

Les **bâtiments abbatiaux** (expositions) datent du XVII^e^ siècle, période où l'abbaye passa entre les mains des moines de Saint-Maur. Il faut franchir la Gartempe par le **vieux pont** (XIII^e^-XIV^e^) pour prendre du recul et apprécier la flèche gothique (XIV^e^) qui culmine à 77 mètres et, surtout, le superbe **chevet** roman de l'église. La flèche constitue l'exception, car toute la construction est romane. L'élévation de la nef (21 m) prouve, à l'évidence, que les architectes romans savaient, à l'occasion, prendre de la hauteur.

*Page de gauche : : Saint-Savin et sa flèche gothique (XIV^e^).*

*Ci-contre, de haut en bas : la tour de Babel.*
*L'ivresse de Noé.*
*Fresques romanes dans l'église de Saint-Savin.*

Il convient de revenir vers l'église pour y admirer les **peintures murales** qui constituent, bien sûr, le point fort de la visite. Selon les spécialistes, elles auraient été exécutées, sans doute par un même atelier, dans les dernières années du XI^e^ siècle.

Saint-Savin offre quatre séries de peintures : celles du porche (Apocalypse et Jugement dernier), celles de la tribune (Passion et Résurrection du Christ), celles du berceau de la nef (scènes de la Genèse et de l'Exode) et enfin celles de la crypte (Dieu en majesté, passion de saints Savin et Cyprien). Ces peintures ne sont pas toutes, bien sûr, dans le même état de conservation. Certaines sont presque effacées, d'autres ont disparu. On les apprécie aussi différemment selon la luminosité et l'heure de la journée. On notera aussi les **chapiteaux** de la nef et du chœur.

Au sud, **Antigny** possède une église romane (chœur gothique et peintures murales du début XVI^e^) et une lanterne des morts (XII^e^).

## SANXAY

*À l'ouest de Poitiers*

Les **ruines romaines** d'Herbod comportent notamment des thermes, un théâtre (qui pouvait accueillir 8 000 spectateurs) et un temple. L'ensemble remonte aux II^e^ et III^e^ siècles de notre ère.

Plusieurs objets trouvés à Sanxay sont exposés au musée Sainte-Croix de Poitiers.

Au nord, le château de **Marconnay** est une belle construction du XV^e^ (restauré).

## CHÂTEAU DE TOUFFOU

*Au nord-ouest de Chauvigny*

Ce château des bords de Vienne s'aperçoit de loin quand on emprunte la départementale qui, de Châtellerault à Chauvigny, longe la rivière. C'est une construction impressionnante et convaincante, malgré son style composite. L'ensemble est le résultat d'une construction sur plusieurs siècles.

De la forteresse initiale, il reste les deux hauts donjons (XI^e^-XII^e^), d'ailleurs réunis et remaniés au XIV^e^. Puis une aile Renaissance fut ajoutée au XVI^e^. Touffou est aussi connu pour sa décoration (par exemple, les fresques dites de François-I^er^ et des Quatre-Saisons). Le site lui-même est fort agréable.

Toute la région, d'ailleurs, est superbe, surtout à l'automne. À **Bonnes**, au sud du château, on peut saluer l'église Saint-André (beau chevet roman) et regarder, du haut du pont, filer la rivière.

À proximité commence la **forêt de Moulière** (plus de 4 000 hectares, ce qui fait d'elle une des plus vastes forêts de la région Poitou-Charentes). On y organise des chasses à courre.

## LE VIEUX-POITIERS

*Au sud de Châtellerault*

Le Vieux-Poitiers ne se trouve pas à proximité immédiate de Poitiers, comme on pourrait le croire, mais au sud de Châtellerault, entre Clain et Vienne. C'est un **site gallo-romain** d'un grand intérêt. On y voit les vestiges d'une tour et d'un vaste **théâtre** aménagé sur le flanc d'une modeste colline. Il pouvait contenir 10 000 personnes.

Non loin du Vieux-Poitiers, sur la route de Cenon, un tout petit **menhir** porte une rarissime inscription en gaulois.

Selon une tradition ancienne, c'est également à proximité du Vieux-Poitiers que se serait déroulée, vers 732, la fameuse « bataille de Poitiers » qui opposa Charles Martel aux Sarrasins. Le nom d'une bourgade, au sud-ouest, **Moussais-la-Bataille**, nous rappelle cette tradition. Pour les historiens, la localisation de cette bataille est inconnue.

À l'ouest, de l'autre côté de l'autoroute, la **tour Beaumont**, en Naintré, d'origine romane, permet surtout d'admirer le paysage.

*La Vienne, près de Touffou.*

# Bibliographie sommaire


ANDREI (Jean-Luc) et BARBIER (Bruno), *Ile de Ré*, 1991.
CHAGNOLLEAU (Jean), DEZ (Gaston), CROZET (René) et LAVAUD (Jacques), *Visages du Poitou*, 1942.
CHEVRAUX (Daniel), *Les Tours de La Rochelle*, 1990.
CROZET (René), *Châteaux de la Vienne*, s.d.
—, *Eglises de la Vienne*, s.d.
—, *Chauvigny, Saint-Savin*, s.d.
—, *Poitiers*, s.d.
—, *La Vienne touristique*, s.d.
DESGRAVES (Louis), *Connaître la Charente*, 1993.
—, *Connaître la Charente-Maritime*, 1991.
DRILLEAU (Bernard), *Histoire de Saint-Jean d'Angély*, 1975.
DUBOURG-NOVES (Pierre), *L'Abbaye de Saint-Savin*, 1984.
—, *La Cathédrale d'Angoulême*, 1982.
—, *Saintes*, 1984.
—, *Villes d'art de Charente*, s.d.
ESQUINES (Christian) et LABOUR (Jean-Luc), *L'Ile d'Oléron*, 1983.
EULIN (Jean-Louis) et ROUSSEAUX (Eric), *La Nature dans le Marais poitevin*, 1982.
GALY (Josette et Roger), *La Charente*, s.d.
GARDA (Claude), *L'Abbaye de l'Etoile*, 1992.
GENSBEITEL (Christian) et ORTIZ (Marylise), *Aimer la Charente-Maritime*, 1991.
HENNEQUIN (Bernard), *Poitou-Guyenne*, 1969.
JACOUPY (Jacqueline), *Le Poitou*, 1944.
JOUSSAUME (Roger) et PAUTREAU (Jean-Pierre), *La Préhistoire du Poitou*, 1990.
LABANDE (Edmond-René) [sous la dir. de], *Histoire du Poitou, du Limousin et des pays charentais*, 1976.
LASCAUX (Michel), *Eglises des Deux-Sèvres*, s.d.
—, *Châteaux des Deux-Sèvres*, s.d.
MOINE (Michel et Françoise), *Sentiers et randonnées de Poitou-Charentes*, 1976.
ORTIZ (Marylise), *La Charente touristique*, s.d.
—, *Angoulême*, 1990.
ORTIZ (Marylise) et CHABAUD (Marie-France), *L'Ile de Ré*, 1992.
PAPY (Louis), *Aunis et Saintonge*, 1937.
RENOUARD (Michel), *Châtellerault*, 1986.
RIEUPEYROUT (Jean-Louis et Jean-Michel), *Connaître La Rochelle*, 1988.
SALCH (Charles-Laurent), *Dictionnaire des châteaux et des fortifications du Moyen Age en France*, 1979.
THOMAS (Thierry), *Poitiers et Ligugé*, 1985.

**Ouvrages collectifs**

*120 châteaux en Poitou-Charentes*, 1994.
*Guide bleu Poitou-Charentes*, 1990.
*Guide Michelin Poitou Vendée Charentes*, 1992.
*Poitou-Charentes-Vendée : Pays et gens de France*, 1984

**Revues**

*Archéologia.*
*Détours en France.*
*Iles.*
*Le Picton.*


*Tout près de Poitiers, au Breuil-Mingot.*

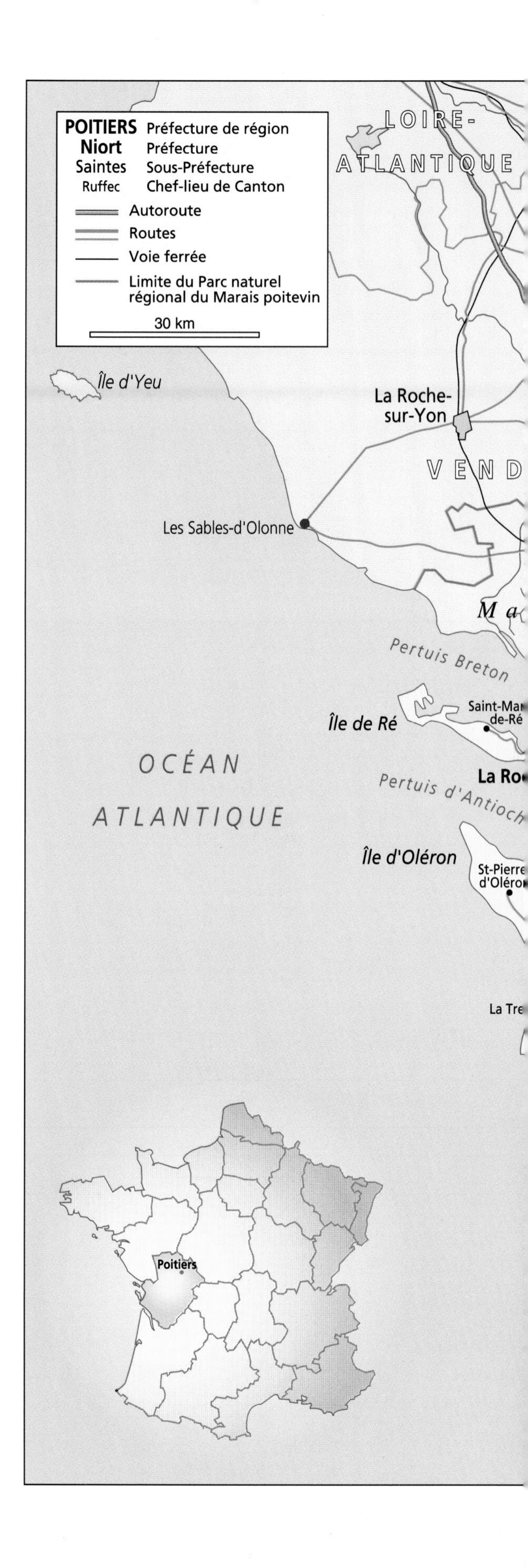
POITIERS Préfecture de région
Niort Préfecture
Saintes Sous-Préfecture
Ruffec Chef-lieu de Canton
Autoroute
Routes
Voie ferrée
Limite du Parc naturel régional du Marais poitevin
30 km
LOIRE-ATLANTIQUE
Île d'Yeu
La Roche-sur-Yon
Les Sables-d'Olonne
Pertuis Breton
Île de Ré
OCÉAN ATLANTIQUE
Pertuis d'Antioch
Île d'Oléron
Poitiers

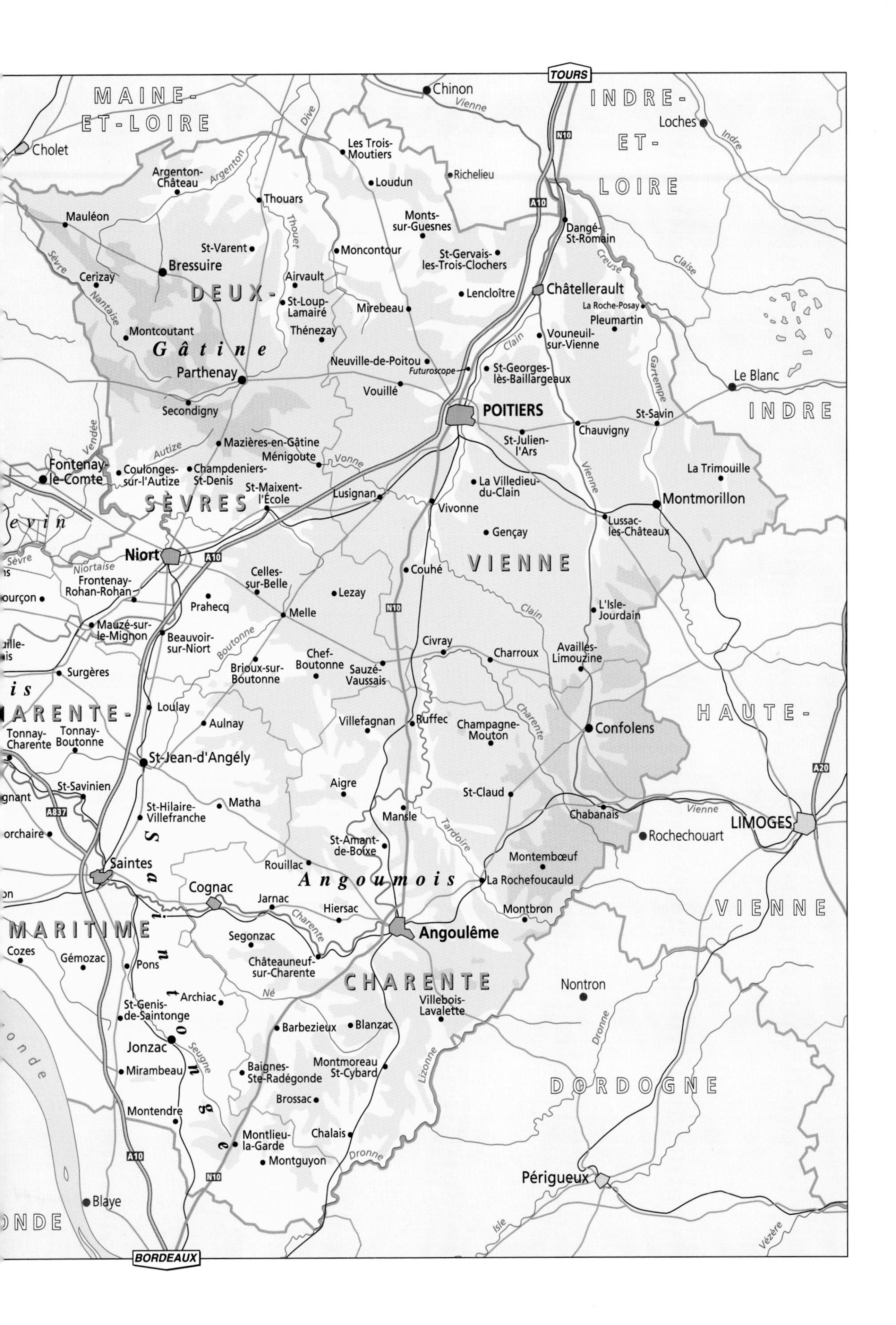

TOURS
MAINE-ET-LOIRE
INDRE-ET-LOIRE
Chinon
Vienne
Loches
Indre
Cholet
Dive
N10
Les Trois-Moutiers
Richelieu
Argenton-Château
Argenton
Loudun
Thouars
A10
Mauléon
Monts-sur-Guesnes
Dangé-St-Romain
St-Varent
Thouet
Moncontour
St-Gervais-les-Trois-Clochers
Creuse
Claise
Bressuire
Sèvre Nantaise
Cerizay
Airvault
DEUX-
Lencloître
Châtellerault
St-Loup-Lamairé
Mirebeau
La Roche-Posay
Pleumartin
Thénezay
Moncoutant
Gâtine
Clain
Vouneuil-sur-Vienne
Neuville-de-Poitou
Gartempe
Futuroscope
St-Georges-lès-Baillargeaux
Parthenay
Le Blanc
Vouillé
Secondigny
POITIERS
St-Savin
INDRE
Vendée
Chauvigny
St-Julien-l'Ars
Mazières-en-Gâtine
Autize
Ménigoute
Vonne
La Trimouille
Fontenay-le-Comte
Coulonges-sur-l'Autize
Champdeniers-St-Denis
La Villedieu-du-Clain
Montmorillon
St-Maixent-l'École
Lusignan
SÈVRES
Vivonne
Lussac-les-Châteaux
Gençay
Niort
Sèvre Niortaise
Celles-sur-Belle
Couhé
VIENNE
Frontenay-Rohan-Rohan
Lezay
Prahecq
Melle
L'Isle-Jourdain
Mauzé-sur-le-Mignon
Beauvoir-sur-Niort
Boutonne
Civray
Charroux
Availles-Limouzine
Chef-Boutonne
Surgères
Brioux-sur-Boutonne
Sauzé-Vaussais
CHARENTE-
Loulay
Aulnay
Villefagnan
Ruffec
Champagne-Mouton
Confolens
HAUTE-
Tonnay-Charente
Tonnay-Boutonne
St-Jean-d'Angély
St-Savinien
Aigre
St-Claud
A20
A837
St-Hilaire-Villefranche
Matha
Mansle
Chabanais
Vienne
LIMOGES
Tardoire
Rochechouart
St-Amant-de-Boixe
Montembœuf
Saintes
Rouillac
Angoumois
La Rochefoucauld
Cognac
Jarnac
Hiersac
Montbron
MARITIME
VIENNE
Angoulême
Segonzac
Cozes
Gémozac
Pons
Châteauneuf-sur-Charente
CHARENTE
Nontron
Archiac
Né
Villebois-Lavalette
St-Genis-de-Saintonge
Barbezieux
Blanzac
Dronne
Jonzac
Seugne
Saintonge
Baignes-Ste-Radégonde
Montmoreau-St-Cybard
Mirambeau
Lizonne
DORDOGNE
Brossac
Montendre
Chalais
Montlieu-la-Garde
Montguyon
Dronne
A10
N10
Périgueux
Blaye
Isle
Vézère
GIRONDE
BORDEAUX

## TABLE DES MATIÈRES


**Regards sur le Poitou-Charentes** ........ 3

**De la Péruze au Périgord Vert : la Charente, terre d'histoire** ..... 7
Angoulême .................... 10
Aubeterre-sur-Dronne ........... 18
Barbezieux .................... 20
Blanzac ....................... 21
Les Bouchauds ................ 21
Chalais ....................... 22
Chassenon .................... 22
Cognac ....................... 23
Confolens .................... 25
Le pays des gouffres ............ 26
Jarnac ........................ 28
Montmoreau-Saint-Cybard ....... 29
La Rochefoucauld .............. 30
Ruffec ....................... 32
Saint-Amant-de-Boixe .......... 33
Verteuil-sur-Charente ........... 34
Villebois-Lavalette ............. 35

**Du Marais poitevin à la Gironde : la Charente-Maritime, terre de lumière** .............. 37
Ile d'Aix ..................... 38
Aulnay-de-Saintonge ............ 39
Brouage ...................... 40
Corniche de la Gironde .......... 42
Fouras ....................... 45
Jonzac ....................... 45
Marans ....................... 48
Marennes ..................... 48
Montguyon ................... 48
Ile d'Oléron .................. 49
Pons ......................... 52
Ile de Ré .................... 54
La Roche-Courbon ............. 59
Rochefort ..................... 60
La Rochelle ................... 62
Royan ....................... 67
Sablonceaux .................. 68
Saintes ...................... 69
Saint-Jean-d'Angély ............ 72
Surgères ..................... 74

**De la Venise Verte aux bords de la Boutonne : les Deux-Sèvres, terre de panache** .............. 77
Airvault ..................... 78
Argenton-Château .............. 78
Bressuire ..................... 79
Château de Coudray-Salbart ...... 79
Coulon ....................... 79
Gâtine ....................... 80
Marais Poitevin ................ 81
Mauléon ...................... 84
Melle ........................ 84
Niort ........................ 86
Oiron ........................ 88
Parthenay .................... 89
Saint-Jouin-de-Marnes .......... 90
Saint-Maixent-l'École ........... 91
Thouars ...................... 92

**Du paradis tourangeau aux Portes d'Enfer, la Vienne, terre de France** ............... 95
Angles-sur-l'Anglin ............ 96
Archigny ..................... 97
Charroux ..................... 97
Châtellerault .................. 98
Chauvigny ...................101
Civaux .......................103
Civray .......................104
Futuroscope ...................106
Gençay .......................107
Lencloître ....................107
Ligugé .......................107
L'Isle-Jourdan ................109
Loudun ......................109
Lusignan .....................111
Montmorillon .................111
Nouaillé-Maupertuis ............112
Oyré ........................112
Poitiers .......................114
Richelieu .....................120
La Roche-Posay ...............121
Saint-Savin ...................123
Sanxay .......................124
Château de Touffou ............124
Le Vieux-Poitiers ..............124

**Bibliographie** .................125

**Carte générale** ................126


Toutes les photos sont de Michel Ogier à l'exception des pages 22 bd, 97 h, 120b et 125 attribuées à Michel Renouard.
Hervé Boulé : page 107 g. Agence France Presse : portrait de François Mitterrand page 5. Agence J.P.B. page 43.

Cartographie : AFDEC


Cet ouvrage a été imprimé par Mame Imprimeurs, Tours (37)
*Broché :* I.S.B.N. : 2.7373.1624.3 - Dépôt légal : mars 1996 - N° d'éditeur : 3013.02.03.01.98
*Cartonné :* I.S.B.N. 2.7373.1713.4 - Dépôt légal : mars 1996 - N° d'éditeur : 3134.02.03.01.97